Délices
du Sud
de la France

Délices du Sud de la France

EDL

Délices du Sud

ENTRÉES FROIDES

PAGE 8

ENTRÉES CHAUDES

PAGE 30

SOUPES

PAGE 76

TRÈS FACILE : ★   FACILE : ★★   DIFFICILE: ★★★

Délices du Sud

POISSONS ET FRUITS DE MER

VIANDES ET VOLAILLES

DESSERTS

TRÈS FACILE : ★   FACILE : ★★   DIFFICILE: ★★★

LES RECETTES

LES RECETTES

Entrées froides

Caillettes de gibier

4 personnes　　　　★★　　　　Préparation : 1 h

200 g de parures de gibier
100 g d'épinards
100 g d'oseille
2 oignons
4 gousses d'ail
100 g de crépine de porc
3 branches de thym
2 feuilles de laurier
5 feuilles de sauge

25 cl de fond blanc
100 g de salade
4 cuillères à soupe d'huile d'olive
Sel
Poivre

Décoration :
Cerfeuil (facultatif)

Si l'Ardèche revendique la paternité des caillettes, cette entrée est aussi présente dans la tradition culinaire du sud-est de la France. Ce plat du terroir est très apprécié des chasseurs qui le consomment froid dans du pain.

Cette recette relativement longue à préparer se compose de parures de gibier : bas morceaux de chevreuil, de sanglier ou cuisses de lièvre. Vous pouvez les remplacer par du collier et des panoufles d'agneau, ou encore par de l'échine de porc.

L'épinard, qui se retrouve dans la farce, est une plante potagère, originaire de Perse, aux feuilles vertes foncées, cloquées ou lisses. Très digestes, elles recèlent quantité de vitamines et de minéraux. Au XVIIᵉ siècle, les Français les cuisinaient sucrées et en cultivaient plus de dix variétés dont "la merveille de Versailles". Les variétés d'hiver ont des feuilles plus larges que celles d'été. Si notre chef les considère comme quasiment indispensables dans les caillettes, il envisage éventuellement de les remplacer par des verts de blettes.

Pensez lors de la préparation à bien les laver. Faites-les ensuite tomber dans l'huile d'olive afin qu'ils dégorgent et réduisent.

La crépine de porc que vous vous procurerez chez votre charcutier doit être dégorgée dans l'eau pendant 24 heures.

Pour l'assaisonnement de la salade, notre chef suggère de mélanger le jus de cuisson avec deux cuillères à soupe d'huile d'olive.

Les caillettes de gibier braisées aux herbes sont meilleures réchauffées. Aussi, n'hésitez pas à les préparer la veille. Elles se conservent environ une semaine au réfrigérateur et peuvent se consommer froides comme une terrine. Si vous désirez apporter une pointe de raffinement à ce plat rustique, vous pouvez ajouter des truffes ou tout autre champignon, et décorer les caillettes de pluches de cerfeuil.

À l'aide d'un éminceur, coupez finement en petits dés la viande du gibier.

Avec 1 c. à s. d'huile d'olive, faites suer le gibier jusqu'à coloration. Salez, poivrez. Ajoutez les oignons et l'ail émincés et faites revenir. Ajoutez le thym et le laurier. Mouillez avec 10 cl de fond blanc et laissez cuire 1 h à feu doux.

Dans une poêle, faites tomber l'oseille lavée avec 1 c. à s. d'huile, assaisonnez. Renouvelez l'opération pour les épinards. Égouttez l'oseille et les épinards et hachez-les. Mélangez-les ensuite à la viande pour confectionner la farce. Rectifiez l'assaisonnement.

ɔraisées aux herbes

CHRISTIAN
ÉTIENNE

Cuisson : 2 h   Dégorgement de la crépine : 24 h

Dans un emporte-pièce, mettez la farce afin d'obtenir des boulettes d'à peu près 30 g. Démoulez et roulez légèrement le mélange dans la main.

Étalez la crépine sur votre plan de travail et enveloppez les boulettes dedans. Serrez bien et coupez.

Disposez les boulettes dans un plat, posez les feuilles de sauge. Mouillez avec le reste de fond blanc et couvrez le plat avec une feuille d'aluminium. Cuisez au four 1 h à 180°C. Dressez dans l'assiette 3 caillettes, et la salade assaisonnée d'huile d'olive et de jus de cuisson.

Carpaccio de langoustines

4 personnes ★ **Préparation : 40 min**

12 langoustines crues, calibrage 10-15
6 cuillères à soupe d'huile d'olive
2 bottes d'asperges vertes
4 oranges
1 citron
1 botte d'estragon

1 petit pot de moutarde à l'ancienne
1 bouquet d'aneth
Sel
Poivre

C'est l'été ! Et un grand merci à Vittore Carpaccio, peintre vénitien de renom, d'avoir donné son nom à cette rafraîchissante et délicieuse entrée. Hypocalorique, cette recette est relativement simple à réaliser.

Alain Carro recommande de la langoustine, car sa chair capte admirablement bien les parfums environnants. Notez que ce crustacé a aussi été élu pour l'harmonie de ses couleurs. Il doit être d'une fraîcheur irréprochable, l'œil doit être bien noir, d'un excellent brillant, son odeur agréable et peu marquée.

Notre chef, vous conseille à défaut de langoustines, de les remplacer par des filets de maquereaux. C'est aussi excellent et bien moins cher ! Demandez à votre poissonnier de lever les filets. Vous dégagerez des tranches extrêmement fines. Mêmes consignes de fraîcheur pour ce poisson à la robe moirée. Retirez bien les arêtes à la pince à épiler car elles sont nombreuses.

Les asperges vertes qui annoncent les beaux jours se cultivent beaucoup dans le Midi de la France. Elles doivent être relativement rigides. Attention, elles ne se conservent que trois jours ! Bien sûr, selon la région où vous vous trouvez et la saison, vous pouvez utiliser l'autre variété : les blanches. Avant même de les éplucher, vous les rincerez à l'eau chaude avant leur emploi. D'une manière générale, quel que soit leur emploi, elles sont cuites d'abord à l'eau bouillante salée pendant 10 à 15 minutes selon leur grosseur. Pour rafraîchir au plus vite les asperges au sortir de leur cuisson, trempez-les dans un bain d'eau glacée.

L'estragon qui parfumera l'huile d'olive devra être haché menu, vous aurez pris soin de vous procurer cet aromate frais. À défaut, notre chef vous recommande d'utiliser la ciboulette. Et si vous souhaitez décorer votre plat avec les têtes de langoustines, cela peut se faire mais vous devrez d'abord les blanchir avant de les dresser.

Décortiquez et coupez en deux les langoustines. Posez les langoustines sur le dos, incisez la queue, débarrassez-les du boyau noir. Parallèlement cuisez les asperges à l'eau bouillante salée pendant 10 min.

Prenez un rectangle de film alimentaire. Passez de l'huile d'olive au pinceau, sur une moitié du film. Disposez en étoile les langoustines. Rabattez l'autre moitié du film non huilée sur les langoustines. Aplatissez-les d'un coup sec à la batte. Placez-les au congélateur 20 min.

Pressez les quatre oranges et le citron. Mélangez les deux jus. Faites réduire dans une casserole le jus des agrumes aux 3/4 pendant 8 min.

à l'huile parfumée

ALAIN
CARRO

Cuisson : 20 min

Congélation des langoustines : 20 min

Ajoutez 5 c. à s. d'huile d'olive, l'estragon haché menu et 1/2 c. à s. de moutarde à l'ancienne. Mélangez le tout à la réduction du jus d'agrumes refroidi. Assaisonnez. Réservez la sauce.

Sortez les langoustines du congélateur, juste avant le service. Laissez-les décongeler. Décollez-les du papier film, dressez-les dans les assiettes définitives. Réfrigérez-les si besoin.

Taillez les asperges cuites en tronçons de 8 cm. Nappez les assiettes de sauce parfumée à l'estragon. Réajustez l'assaisonnement. Décorez d'asperges et de brins d'aneth. Servez très frais.

FRANCIS
ROBIN

Crème de courgettes e

4 personnes   ★   **Préparation : 20 min**

500 g de courgettes
350 g de thon rouge
1/2 botte de cerfeuil
1/2 botte de ciboulette
1 branche d'estragon
1 échalote
50 cl de bouillon de volaille
20 cl d'huile d'olive

50 g de câpres
Sel
Poivre

Décoration :
1 poireau
Sel gris de Camargue
Huile de friture

Reine de la Méditerranée et compagne de la ratatouille, la courgette tient la part belle dans notre recette. L'entrée rafraîchissante de Francis Robin se consomme de préférence l'été, lorsque les courgettes sont des plus savoureuses. Saviez-vous qu'elles font partie des plus vieux légumes dont on ait retrouvé la trace ? Elles seraient apparues au Mexique, dès le VIIIᵉ millénaire avant notre ère.

Choisissez des courgettes bien vertes, petites et fermes. Vérifiez au toucher qu'elles le sont aussi aux extrémités. Si vous les trouvez un peu fades pour notre préparation, agrémentez l'eau de cuisson d'une gousse d'ail. Mixez-la avec les courgettes, la saveur de la crème en sera rehaussée. Pour que notre préparation soit d'un joli vert, veillez à enlever une partie de la chair des courgettes, en laissant seulement 1 cm sur la peau. N'abusez pas trop de l'huile d'olive, qui la blanchirait.

Autre vedette de la recette, le thon rouge de la Méditerranée. Ce poisson charnu, de grande taille doit être choisi très frais puisqu'il se présentera en tartare, c'est-à-dire, haché et cru. Il apparaît sur les étals à partir du mois de mai jusqu'à septembre. À la fin du XIXᵉ siècle, en Provence, l'approche des bancs de thon était annoncée à coups de trompe aux pêcheurs par des guetteurs. Si le thon vous fait défaut, vous pourrez le remplacer par du saumon frais. Ce poisson à chair rose se marie aussi très bien à la saveur des courgettes.

La fraîcheur de ce plat est accentuée par les herbes qui agrémentent le thon. L'estragon relève, par sa pointe piquante et la puissance de son arôme, la grande douceur de ce plat. Cependant, il n'est pas obligatoire pour la réussite de la recette. Quant aux autres fines herbes comme le cerfeuil et la ciboulette, si souvent reléguées à la décoration, elles demeurent ici capitales pour parfumer le tartare de thon.

Lavez les courgettes et découpez-les en morceaux. Faites-les cuire à la vapeur pendant 5 à 8 min, pour qu'elles restent croquantes. Épluchez puis émincez l'échalote.

Refroidissez les courgettes à l'eau froide. Égouttez-les. Mixez-les avec le bouillon de volaille et 7 c. à s. d'huile d'olive. Rectifiez l'assaisonnement de cette crème. Réservez-la.

Hachez finement toutes les herbes fraîches : la ciboulette, le cerfeuil, l'estragon, les câpres bien égouttées et l'échalote.

Cuisson : 15 min

Découpez le thon rouge en brunoise. Salez et poivrez. Réservez-le. Préparez les ramequins destinés au façonnage des palets de thon, en les badigeonnant légèrement d'huile d'olive.

Mélangez thon, câpres, toutes les herbes, sel, poivre et 5 c. à s. d'huile d'olive. À l'aide des ramequins huilés, moulez cette préparation en 4 palets. Lavez et taillez le poireau. Coupez un tronçon de blanc de 6 cm, détaillez-le en "cheveux d'ange".

Faites frire les cheveux d'anges de poireau jusqu'à coloration. Disposez-les sur les palets de thon. Ajoutez quelques grains de sel gris. Posez les palets au milieu d'une assiette creuse. Versez la crème de courgettes autour et servez frais.

JEAN-CLAUDE
VILA

Esqueixade de morue

4 personnes   ★   **Préparation : 15 min**

1 filet de morue de 400 g
24 olives noires dénoyautées
2 poivrons rouges

Vinaigrette au Banyuls :
6 cuillères à soupe d'huile d'olive
1 cuillère à soupe de vinaigre de Banyuls
2 gousses d'ail
2 branches de persil
1 oignon frais
2 tomates roma
Poivre

Pour exprimer la notion d'effritement ou d'écrasement de morue, les Catalans emploient le terme *esqueixade*. Dans la recette traditionnelle, la morue est déchirée en petits morceaux, puis mélangée aux autres ingrédients et à la vinaigrette. Notre chef a souhaité harmoniser la présentation des assiettes. *"À l'origine, l'esqueixade de morue était accompagnée de morceaux d'olives coupées grossièrement. Pour ma part, je préfère les utiliser en chapelure. Saupoudrées sur la morue, les olives apportent une sensation de craquant".*

Appelée *bacalla* en catalan, la morue se retrouve dans de nombreuses recettes régionales. Ce poisson des mers froides n'est commercialisé sous ce nom que salé et séché. Frais, il se présente sous l'appellation de cabillaud. La distinction entre la morue et le cabillaud n'existe qu'en France, seul pays à pratiquer deux pêches bien distinctes : l'une pour la morue fraîche, l'autre pour la morue salée. N'oubliez surtout pas de la dessaler, en changeant plusieurs fois l'eau.

Dans cette entrée, le moelleux de l'*esqueixade* se marie harmonieusement à la chapelure d'olives noires. Ce fruit ovoïde, de petite taille, issu de l'olivier, possède une peau vert tendre. En mûrissant, elle devient rouge, violette puis noire.

Le vinaigre au vin de Banyuls apporte aux autres ingrédients son goût légèrement sucré. Commercialisé essentiellement dans la région roussillonnaise, il vous sera peut-être difficile de vous en procurer. Notre chef propose la recette pour le préparer : prenez un tiers de vinaigre de vin, deux tiers de vin de Banyuls, ajoutez un demi-oignon, une gousse d'ail, une feuille de laurier, une branche de thym. Laissez macérer entre 8 et 9 mois. Vous pourrez utiliser cette préparation pour une future recette. En attendant, vous pouvez employer du vinaigre balsamique.

L'*esqueixade* de morue à la chapelure d'olives noires se déguste surtout l'été. Cette entrée, facile à réaliser, se révèle très rafraîchissante.

Égouttez les olives. Hachez-les grossièrement pour la chapelure. Mettez-les au four, à 150°C, pendant environ 40 min.

Broyez les olives avec un rouleau à pâtisserie afin d'obtenir une poudre noire.

Mettez les poivrons au four à 200°C pendant 15 min. Pelez-les. Avec un emporte-pièce, détaillez les poivrons.

à la chapelure d'olives

JEAN-CLAUDE VILA

Cuisson : 55 min

Dessalage de la morue : 24 h

Confectionnez la vinaigrette avec le persil haché, les tomates coupées en petits dés, l'oignon et les gousses d'ail hachées. Ajoutez l'huile d'olive et le vinaigre de Banyuls. Poivrez.

Après avoir égoutté la morue, effeuillez-la. Avec l'emporte-pièce, détaillez-la comme les poivrons. Réservez le reste de morue.

Hachez la morue restante et incorporez-la aux ingrédients de la vinaigrette. Laissez mariner 5 min. Dressez au centre de l'assiette, ce mélange, placez autour une rosace de morue et poivron. Parsemez avec la chapelure d'olives noires.

JEAN
PLOUZENNEC

Poivrons rôtis et

4 personnes ★ **Préparation : 1 h**

4 poivrons rouges
400 g d'anchois entiers salés
4 gousses d'ail
20 cl d'huile d'olive
1 orange
Sel
Poivre

Salade d'herbes :
1 brin de basilic
4 brins de coriandre fraîche

1/4 de botte de ciboulette
4 brins de persil plat
8 feuilles de menthe
1 poignée d'épinards frais
4 feuilles d'oseille
4 brins de cerfeuil
1 botte de cébette
1 cuillère à soupe de vinaigre balsamique ou de Banyuls
2 cuillères à soupe d'huile d'olive

Ce plat très coloré est d'une facilité enfantine à réaliser. Éminemment méridionaux, les poivrons rouges sont consommés et cultivés dans tout le Sud de la France et même en Italie. Christophe Colomb les importa au XVe siècle de l'île de Cuba, et ils furent ensuite cultivés en Espagne.

Si les poivrons naissent verts, sachez que les rouges sont plus mûrs et beaucoup plus sucrés. Ainsi ils tempèrent le sel des anchois, ils appartiennent à la famille des solanacées, comme les aubergines. Choisissez des poivrons à la peau lisse, unie et brillante. Vérifiez que leurs pédoncules sont solidement attachés à leur corps. Ils se conservent une semaine, dans le bac à légumes du réfrigérateur.

Jean Plouzennec vous livre une astuce de chef pour les peler. Dès que vous les sortirez du four, enveloppez les poivrons dans du papier d'aluminium. Ainsi, ils termineront leur cuisson tout en refroidissant, et leur peau se retirera plus facilement. Mettez-les à mariner avec une

bonne huile d'olive, très parfumée, puissante et de qualité "vierge extra".

Pour simplifier la recette, vous pouvez utiliser des filets d'anchois en boîte. Mais si vous décidez de les stocker entiers salés, veillez à ce qu'ils soient toujours bien recouverts de saumure. Sinon, ils s'altèreront très vite ! Ces petits poissons sont facilement identifiables par leur museau : la fente de la bouche est démesurée, et dépasse de beaucoup le niveau des yeux. Très abondants en Méditerranée, ils font depuis des siècles la renommée internationale de Collioure, fameux village de pêcheurs de la côte Vermeille, célébré par les plus grands peintres français.

Grâce à cette excellente réputation, le village de Collioure fut libéré de la gabelle (l'impôt sur le sel), après le traité des Pyrénées de 1659. Reconnaissant que le sel était vital pour l'économie de Collioure, le roi de France avait donc décidé de ne plus le taxer.

La veille : préchauffez votre four à 200 °C, 15 min. Lavez les poivrons et arrosez-les d'1 c. à s. d'huile. Enfournez 30 min . À la sortie du four, couvrez-les d'un papier aluminium et laissez-les refroidir. Ouvrez les poivrons, épépinez-les, pelez-les. Découpez-les en lanières.

Disposez les lanières de poivrons dans une assiette. Découpez 2 gousses d'ail crues en fines lamelles. Arrosez les poivrons avec 8 c. à s. d'huile d'olive, ajoutez l'ail, du sel, du poivre et un brin de persil. Laissez mariner au moins 2 heures.

Toujours la veille, préparez maintenant les anchois : mettez-les à dessaler entiers dans l'eau fraîche. Changez l'eau plusieurs fois. Séparez-les en 2 filets, en enlevant l'arête centrale. Essuyez-les en les posant sur du papier absorbant.

anchois de Collioure

JEAN
PLOUZENNEC

Cuisson : 30 min

Marinade des poivrons et des anchois : 2 h

Disposez les filets d'anchois dans un plat. Parsemez-les avec les 2 autres gousses d'ail découpées en lamelles. Arrosez de 8 c. à s. d'huile d'olive, et ne salez surtout pas ! Laissez mariner comme les poivrons.

Le lendemain, dressez les lanières de poivrons en éventail dans vos assiettes de service, et disposez entre chaque lamelle de poivron 1 filet d'anchois. Pelez à vif une orange acidulée, et dégagez-en des quartiers. Dressez-les dans les assiettes.

Préparez la salade d'herbes : effeuillez toutes les herbes, et découpez des tronçons de cébette de 4 cm de long. Ciselez les épinards. Assaisonnez la salade. Décorez chaque assiette de poivrons aux anchois, avec un bouquet de salade. Servez aussitôt.

ANGEL
YAGUES

Rosace d'anchois marinés,

4 personnes ★ **Préparation : 1 h**

500 g d'anchois frais
5 grosses pommes de terre
2 bulbes de fenouil
2 tomates
100 g d'olives noires dénoyautées
1 boîte de tomates pelées
Sel
Poivre

Marinade au vinaigre :
25 cl de vinaigre blanc
Gros sel

Marinade à l'huile :
1 citron
1 bottillon de ciboulette
1 bottillon de persil
2 gousses d'ail
25 cl d'huile d'olive

Décoration :
200 g de mâche

Cette entrée aux saveurs méridionales peut aussi très bien se déguster à l'apéritif. Les anchois, surtout pêchés entre Sète et Collioure, mesurent 20 cm au maximum. Ces petits poissons de mer sont très abondants en Méditerranée. Vendus frais, salés entiers ou en filets, ils sont commercialisés également en boîtes, sous forme de filets à l'huile. Si le levage des filets vous semble difficile, votre poissonnier peut le faire. Sinon, le chef vous suggère une astuce : laissez les poissons mariner entiers, sans les vider, pendant cinq heures.

Cette première marinade s'impose : elle permet de cuire les anchois frais. Saupoudrez les filets de gros sel et remuez de temps en temps afin que le vinaigre blanc s'imprègne bien.

Selon le marché, vous pouvez opter pour des filets de thon. Cependant, leur temps de cuisson est plus long. Attention, les anchois ont déjà cuits dans le gros sel. Pensez-y lors de l'assaisonnement de la marmelade.

La marinade à l'huile d'olive conserve assez longtemps les aliments. Ainsi, les anchois sont protégés au réfrigérateur à peu près une semaine. Mieux, l'huile peut être récupérée pour une prochaine marinade d'anchois.

Originaire d'Italie, le fenouil est aussi cultivé en Provence et en Espagne. Cette plante aromatique, dont le bulbe est formé par la base large et charnue des feuilles qui s'imbriquent les unes dans les autres, est consommée comme légume. Disponible sur les marchés d'octobre à mai, le fenouil doit être bien blanc, ferme, arrondi et sans taches.

La marmelade se sert froide. Après sa cuisson, brisez-la légèrement avec une cuillère. Notre chef Angel Yagues vous suggère de remplacer le fenouil par une petite salade d'épinards frais ou de la mâche et d'ajouter, au moment du dressage des assiettes, un filet d'huile de la marinade sur les tomates et les olives.

Entre le pouce et l'index, levez les filets d'anchois. Rincez-les. Faites-les ensuite mariner entiers, pendant 1 h, dans le vinaigre et le gros sel.

Lavez puis épluchez les pommes de terre. Coupez-les en tranches de 5 mm d'épaisseur environ. Puis avec un emporte-pièce cannelé, faites des cercles de 3 cm de diamètre. Laissez cuire dans de l'eau salée, environ 8 min.

Lavez, mondez et épépinez les tomates. Coupez-les en petits dés en même temps que les olives.

marmelade au fenouil

ANGEL
YAGUES

Cuisson : 20 min   **Marinade au vinaigre : 1 h**   **Marinade à l'huile d'olive : 2 h**

Lavez et émincez très finement le fenouil. Faites-le cuire dans de l'eau salée environ 15 min. Égouttez-le et laissez refroidir. Rectifiez l'assaisonnement en ajoutant une pincée de poivre.

Rincez les filets d'anchois à l'eau claire, puis séchez-les. Pour les faire mariner, disposez-les dans un plat avec l'ail, le persil coupés grossièrement, la ciboulette hachée et le citron en tranches. Ajoutez l'huile d'olive.

Roulez les filets d'anchois avec les tomates pelées préalablement concassées. Disposez-les sur chaque pomme de terre, décorez avec une feuille de mâche. Placez les tomates et les olives. Puis au centre de l'assiette, disposez la marmelade de fenouil. Ajoutez 1 c. à s. d'huile de marinade.

DANIEL
ETTLINGER

Salade d'asperges

4 personnes   ★   **Préparation : 30 min**

1 kg d'asperges vertes
300 g de févettes
2 tomates
1 bouquet de basilic
Gros sel

Vinaigrette balsamique :
6 cuillères à soupe d'huile d'olive
2 cuillères à soupe de vinaigre balsamique
Sel
Poivre

Décoration :
100 g de parmesan

Installé au Rouret, petit village typique de l'arrière-pays niçois, Daniel Ettlinger confectionne pour sa clientèle des plats en fonction du marché. Au printemps, les asperges apparaissent tout naturellement dans son menu. Cultivant un réel engouement pour cette plante vivace, il lui a dédié une entrée portant le nom de son établissement : la salade d'asperges du Clos Saint-Pierre. *"Cette recette ressemble à ma cuisine. Elle est simple et ensoleillée"*.

À l'achat, l'asperge doit être rigide, de couleur franche et cassante avec une section brillante. Notre chef vous invite à découvrir, selon la saison, son asperge préférée, la violette. Très tendre, elle affirme un goût prononcé. Produite essentiellement dans la région de Nice, elle a malheureusement tendance à disparaître des marchés. Il y a quelques années encore, elle était cultivée artisanalement avec des tessons de verre qui conservaient la chaleur. Si le chef refuse catégoriquement de réaliser cette entrée avec des asperges blanches, il emploie parfois des vertes comme dans notre recette.

Lors de la préparation, il est inutile de les équeuter, sauf si le bout est un peu sec. La cuisson au gros sel permet aux asperges de conserver leur couleur. Pensez à les rafraîchir une dizaine de minutes dans de l'eau glacée. Puis égouttez-les dans du papier absorbant.

Quant aux févettes, produites dans le Sud de la France, elles se consomment souvent à l'apéritif. Ces petites fèves apparaissent sur les marchés à partir du mois de mai et y demeurent tout l'été. Si vous avez la chance de vous en procurer, sachez qu'elles se consomment avec la peau.

Le basilic, présent dans la garniture de la vinaigrette, est une plante aromatique. Avant de ciseler les feuilles, notre chef vous recommande d'enlever la nervure centrale.

La salade d'asperges du Clos Saint-Pierre est une entrée qui peut s'accompagner d'une tartine de tapenade ou d'une tranche de jambon cru. Servie tiède, elle apporte dans les assiettes le renouveau printanier...

Lavez les asperges et avec un couteau enlevez les picots. Avec un économe, pelez-les de la pointe vers la base, dans le sens de la longueur.

Faites cuire les asperges dans 1,5 l d'eau et 2 c. à s. de gros sel, entre 8 et 12 min en fonction de leur grosseur.

Préparez la garniture pour la vinaigrette en commençant par écosser les févettes. Plongez les tomates dans l'eau bouillante, 1 min, pour les monder. Épépinez-les et coupez-les en grosses lanières. Lavez et ciselez les feuilles de basilic.

u Clos Saint-Pierre

DANIEL
ETTLINGER

Cuisson : 10 min

Préparez la vinaigrette en commençant par le sel, le poivre, le vinaigre et l'huile d'olive. Mélangez bien le tout avec un fouet.

Ajoutez dans la vinaigrette la garniture. À l'aide d'un économe préparez les copeaux de parmesan. Après avoir rafraîchi les asperges, égouttez-les.

Coupez les asperges en sifflets et disposez-les en bataille dans l'assiette. Arrosez-les abondamment avec la vinaigrette. Placez la garniture et décorez avec les copeaux de parmesan.

LAURENT BROUSSIER

Salade Riviera au

4 personnes ★ **Préparation : 30 min**

1 aubergine naine
2 courgettes
2 poivrons rouges
80 g de mesclun niçois
40 g de parmesan Reggiano 5 ans d'âge
2 gousses d'ail
1 tomate
6 petites feuilles de menthe poivrées
20 g de cébette
1 branchette de thym
5 cuillères à soupe d'huile d'olive
2 feuilles de basilic
Sel
Poivre

Vinaigrette balsamique :
4 cuillères à soupe d'huile d'olive
1 cuillère à soupe de vinaigre balsamique
1 cuillère à soupe de vinaigre de vin vieux
1 cuillère à soupe de sirop de gingembre
1/2 cuillère à café de sel
1 pincée de poivre

Décoration :
8 hélicots de basilic
30 g d'olives noires de Nice
1 branche de thym citronné (facultatif)
4 fleurs de céleri

Entrée du sud par excellence, la salade Riviera au vinaigre balsamique met notamment en valeur l'aubergine, la courgette, le poivron et bien sûr le basilic. Originaire de l'Inde, cette plante aromatique tire son nom du grec *basilikos*, qui signifie "royal". Il témoigne ainsi de l'importance qu'on lui attachait déjà dans l'Antiquité.

Les feuilles de basilic révèlent une saveur prononcée de citron et de jasmin. Mettez-les à rafraîchir quelques instants dans l'eau, mais pas trop longtemps pour éviter qu'elles ne noircissent. Dans cette recette de saison, vous devrez découper les hélicots. En forme d'hélices, ces petites feuilles tendres situées à la jonction des plus grandes, apportent volume et raffinement à la décoration de la salade.

Notre chef vous conseille d'utiliser un parmesan de 5 ans d'âge, car son goût devient plus fort en vieillissant. Il est donc inutile d'en mettre énormément. Pour bien réussir cette salade, il est également primordial de faire revenir les légumes à l'huile bien chaude.

Une astuce pour peler facilement le poivron : quand vous le retirez du four, enveloppez-le pendant 3 ou 4 minutes dans un papier journal ou une feuille d'aluminium. N'oubliez pas également de bien blanchir l'ail pour adoucir son goût. Après l'avoir émincé, il suffit de le plonger dans de l'eau froide et de porter à ébullition. Il est important de renouveler cette opération trois fois.

La menthe poivrée se caractérise par de petites feuilles longues aux nervures noirâtres. Elle peut être remplacée par de la simple menthe fraîche. Si vous avez des difficultés pour vous procurer du thym citronné, prenez du thym classique.

Pour la confection de la vinaigrette balsamique, ajoutez une cuillère à soupe d'eau pour éviter que le mélange ne se dissocie. Le sirop de gingembre n'est pas primordial. Cependant, son goût sucré-amer apporte à l'assaisonnement une touche raffinée.

Lavez, essuyez l'aubergine et les courgettes. Émincez-les finement. Épluchez l'ail, coupez-le très finement et faites-le blanchir.

Versez l'huile d'olive dans une poêle. Colorez légèrement dans l'huile chaude les rondelles d'aubergine, de courgettes et d'ail, pendant 1 min environ. Salez et poivrez.

Détachez les hélicots de basilic et les fleurs de céleri (réservez pour la décoration). Émincez 2 grandes feuilles de basilic, la cébette, la menthe, émiettez le thym et incorporez-les aussitôt dans les légumes frits.

vinaigre balsamique

**LAURENT
BROUSSIER**

Cuisson : 15 min

Posez les poivrons sur une plaque à four légèrement huilée. Passez-les environ 10 min sous le gril du four. Ôtez la peau et épépinez-les. Coupez ensuite les poivrons en lanières très fines.

Avec un économe, faites des copeaux de parmesan dans le sens de la longueur. Mondez puis épépinez la tomate. Concassez-la.

Mélangez tous les légumes avec la vinaigrette balsamique. Dressez-les dans l'assiette. Ajoutez le mesclun, les hélicots de basilic, les copeaux de parmesan, les olives et les fleurs de céleri. Dégustez tiède.

JEAN-MICHEL
MINGUELLA

Sardines marinées

4 personnes	★	Préparation : 25 min

1, 5 kg de sardines
1 oignon
1 tête d'ail
6 branches de thym
2 feuilles de laurier
25 cl de vinaigre d'alcool blanc
25 cl d'huile d'olive

2 citrons
Tabasco
Sel
Poivre

Décoration :
4 tomates cerises

Autrefois, des myriades de sardines argentées faisaient scintiller le Vieux Port de Marseille... Une légende populaire voulait que l'une d'entre elles aurait bouché cette place forte. En réalité, il ne s'agit pas du petit animal aux mille moires, cousin du hareng, mais plutôt d'un bateau nommé "la Sardine" qui aurait causé le fameux événement ! Aujourd'hui, on retrouve ces demoiselles vendues à la criée sur les quais marseillais.

Pour qu'elles soient délicieuses, il faut les pêcher au printemps. En outre, ces demoiselles à la robe bleutée sont extrêmement fragiles. Celles-ci doivent être rapidement glacées, mais pas trop longtemps pour ne pas les abîmer. Elles sont meilleures lorsqu'elles sont bien en chair. Les plus belles sont capturées grâce à la méthode ancestrale du lamparo : de nuit, les pêcheurs pointent un phare sur la mer ce qui attire les sardines par milliers dans leurs filets.

Choisissez-les bien fraîches, aux écailles brillantes, à l'œil vif, aux ouïes très rouges. Pour lever les filets, il vous faut d'abord bien tenir les poissons et les ouvrir sous l'ouïe. Vous ferez glisser la lame du couteau le long de leur arête centrale.

Parce que ces poissons sont gras, Jean-Michel Minguella choisit de les apprêter marinés au jus de citron. Ainsi, les sardines sont mises en valeur, car il ne faut pas les alourdir d'une sauce trop riche. En ce qui concerne l'assaisonnement des sardines crues, qui seront cuites à froid par le vinaigre, choisissez une huile de qualité, de terroir. Celle-ci devra être de première pression et de mention vierge extra. Utilisez une huile très parfumée.

L'ail qui agrémentera ce mets sera d'une excellente tenue, bien odorant, jeune avec une tête dure, sans aucune taches. Vous verserez du Tabasco avec parcimonie car celui-ci ne doit en aucun cas colorer ce plat. Pour parfaire la décoration, surmontez les sardines d'une à plusieurs tomates cerises qui égayeront davantage le plat !

Écaillez et nettoyez les sardines, grattez-les sans les abîmer. Ces filets seront débarrassés de leurs arêtes dorsales.

Levez les filets à la pointe du couteau, en commençant en dessous de l'ouïe, longez l'arête centrale. Salez et poivrez-les.

Disposez les filets dans un plat, faites-les mariner quelques minutes dans le vinaigre d'alcool blanc. Dès que les filets de sardines blanchissent, égouttez-les.

Émincez l'ail et l'oignon. Brisez les feuilles de laurier, émiettez le thym. Mélangez les deux aromates. Réservez le tout. Salez légèrement les filets.

Disposez les sardines dans le plat de présentation. Ajoutez l'oignon et l'ail. Ajoutez les aromates : le thym et le laurier. Assaisonnez avec quelques gouttes de Tabasco et le jus de 2 citrons.

Salez les sardines. Arrosez-les avec l'huile d'olive et réservez au frais. Avant de servir, nappez vos fonds d'assiette avec la marinade. Disposez les filets de sardines en étoile. Décorez de tomates cerises, de thym et de laurier.

JOËL
GARAULT

Tomate en surprise

4 personnes ★ **Préparation : 30 min**

4 tomates de 180 g pièce
8 langoustines
1 gousse d'ail
10 cl de fond blanc de volaille
80 g de pâte d'olivettes noires
350 g de chèvre frais
1 botte de ciboulette
Salade mélangée
3 cuillères à soupe d'huile d'olive
Sel
Poivre

Vinaigrette balsamique :
1 cuillère à soupe d'huile d'olive
1 cuillère à café de vinaigre balsamique
1/2 citron
Sel
Poivre

Pour réaliser la tomate en surprise, Joël Garault s'est inspiré des traditions pastorales de l'arrière-pays provençal. À l'origine, les paysans conservaient sous l'olivier le fromage de chèvre frais, en l'aromatisant de thym, de ciboulette, de riquette, d'huile d'olive et de poivre. Cette entrée printanière et estivale est un véritable retour aux sources, agrémentée de langoustines.

Cette recette offre à la tomate une place de choix. Préférez les marmande, une variété bien ronde et rouge. Présentes sur les marchés de juillet à octobre, elles doivent être fermes, charnues, luisantes et de couleur uniforme.

Avant de les évider, incisez légèrement la chair sur les trois côtés. Ainsi, elles garderont leur bel aspect sans se déformer.

La surprise du chef consiste à garnir la tomate avec du fromage de chèvre. Exclusivement préparé avec du lait de chèvre, ce fromage contient au moins 45% de matières grasses. Demandez à votre fromager, un petit billy,

produit dans le Tarn, ou un fromage du Cher. Il doit impérativement être frais, sans avoir subi un long affinage.

La pâte d'olives noires se retrouve également dans la surprise. Vous pouvez la remplacer par de la tapenade.

Si la tomate et sa garniture peuvent se préparer la veille, notre chef vous conseille de poêler les langoustines au dernier moment. Cet excellent crustacé, à la carapace rose, se retrouve sur les étals à partir du mois d'avril jusqu'au mois d'août. À l'achat, les langoustines doivent être brillantes et leurs yeux bien noirs. Après les avoir décortiquées, n'oubliez pas d'enlever l'intestin. Joël Garault place un pique en bois à l'intérieur du corps. Cette astuce évite aux langoustines de se rétracter au moment du poêlage. Avant de les disposer dans les assiettes, retirez le pique. Selon l'arrivage, vous pouvez opter pour des gambas.

Avec la tomate en surprise et langoustines, le succès est garanti dans les assiettes !

Mondez les tomates pour les peler. Coupez le dessus par le pédoncule. À l'aide d'une petite cuillère, évidez-les et réservez la chair. Placez à l'intérieur des tomates du papier absorbant pour éponger le jus. Coupez les chapeaux en éventail et réservez-les pour la décoration.

Après avoir détaché les pinces, décortiquez les langoustines. Conservez les têtes et les carapaces pour la sauce. Faites cuire les pattes dans de l'eau salée 5 min. Poêlez les queues décortiquées dans 1 c. à s. d'huile d'olive. Salez et poivrez. Réservez.

Confectionnez la sauce de langoustines avec les carapaces, les têtes, 1 c. à s. d'huile d'olive, l'ail coupé en 2 et la chair des tomates. À l'aide d'une spatule, concassez les têtes et ajoutez le fond blanc. Laissez revenir 5 min.

et langoustines

JOËL
GARAULT

Cuisson : 15 min

Mixez légèrement le jus et filtrez-le à la passette. Remuez avec le fouet et ajoutez les ingrédients de la vinaigrette : le jus de citron, l'huile d'olive, le vinaigre balsamique. Rectifiez l'assaisonnement.

À l'aide d'une fourchette, malaxez la farce en écrasant le fromage frais avec 1 c. à s. d'huile d'olive. Quand le mélange est onctueux, incorporez la ciboulette hachée. Conservez les pointes des tiges pour la décoration. Mélangez bien le tout avec une cuillère.

Avec une poche, garnissez les tomates à mi-hauteur avec la farce. Ajoutez une couche de pâte d'olives et recouvrez avec la farce restante. Dressez dans l'assiette la salade, la tomate ouverte en quartier, les langoustines coupées en 2. Décorez avec la ciboulette, les pinces. Versez la sauce.

Entrées chaudes

Anchoïade de petits-gris

48 escargots petits-gris en conserve
1 échalote
2 tomates
50 g de copeaux de jambon cru très sec
1 pointe de piment de Cayenne
3 cuillères à soupe d'huile d'olive
5 cl de jus de viande
6 cerneaux de noix
4 mini-fenouils

1 bouquet de pourpier
Sel
Poivre

Anchoïade :
8 filets d'anchois
5 cl d'huile d'olive
5 cl de jus de viande

Dans le Languedoc, il n'y a que les escargots qui sont gris, car le ciel lui, est souvent bleu. Au printemps et à l'automne, dès que le fond de l'air est humide, les petits-gris à la coquille brunâtre et spiralée de gris fauve peuvent facilement être ramassés dans la campagne. Les gastronomes préféreront les consommer en hiver, en période de jeûne car leur chair est plus fine et plus corsée. Si vous vous les procurez vivants, rincez-les successivement dans trois bains d'eau froide. Attendez 5 minutes entre chaque rinçage.

Ces gastéropodes ont séduit Georges Rousset, qui les apprête ici à la tomate et à l'anchoïade. Saviez-vous que l'escargot était l'un des premiers animaux que l'homme préhistorique a consommé ? Les Romains savaient déjà les engraisser au son et au vin, en prévision de fameux banquets.

Tombés en désuétude au XVIIe siècle, les escargots attendront l'amphitryon notoire Talleyrand, homme politique français du XIXe siècle, boiteux de surcroît, pour réhabi-

liter le fameux et excessivement lent gastéropode. Le fit-il par complaisance ? Seul les détracteurs de ce grand diplomate pouvaient rire de cette méchante et très facile comparaison… Talleyrand appréciait-il les charmes de l'anchois ? Les Romains eux, les connaissaient très bien, et les faisaient entrer dans la composition de leur fameux condiment appelé "garum".

Très prisés en Provence, les mini-fenouils quant à eux, sont disponibles d'octobre à mai. Choisissez-les bien blancs et fermés. À défaut de mini-légumes, utilisez les gros. Toutefois, ces derniers demeurent moins tendres. Contrairement aux idées reçues, le fenouil n'est pas un bulbe mais un légume-feuilles.

Le vert de la salade de pourpier des vignes renforce la note de fraîcheur. On déguste cette salade crue ou cuite. Les jeunes feuilles plus charnues sont les meilleures. Dans les grands restaurants, le pourpier relève très souvent les sauces béarnaises.

Lavez les tomates. Pelez-les. Épépinez-les. Coupez-les grossièrement en dés. Épluchez l'échalote et ciselez-la finement.

Chauffez 2 c. à s. d'huile d'olive pour faire blondir l'échalote. Ajoutez d'abord les tomates. Laissez-les fondre pendant 5 min. Salez, poivrez. Incorporez les escargots, laissez 1 min sur le feu puis éteignez. Réservez ce ragoût d'escargots au chaud.

Pelez les mini-fenouils. Braisez-les dans 5 cl de jus de viande très délayé (Ils doivent rester un peu croquants). Salez et poivrez. Réservez-les pour le dressage.

et pourpier

GEORGES
ROUSSET

Cuisson : 20 min

Poêlez légèrement le jambon cru sur les deux faces, dans 1 c. à c. d'huile d'olive, jusqu'à ce que le gras soit translucide. Le jambon doit cependant rester souple.

Pour l'anchoïade, mixez 8 filets d'anchois additionnés d'huile d'olive et de jus de viande, jusqu'à ce que l'émulsion soit très lisse.

Dans le ragoût d'escargots réservé, ajoutez les noix, 4 c. à s. d'anchoïade et une pointe de Cayenne. Réchauffez, dressez dans chaque assiette une portion d'escargots, une de pourpier et un mini-fenouil. Versez un filet d'anchoïade sur le pourpier et dans l'assiette.

Arlequin de rougets

4 personnes ★★ **Préparation : 30 min**

6 rougets de 150 g pièce
4 artichauts violets
2 citrons
100 g de salade mélangée
100 g de pâte d'olives noires
1 pomme de terre de 50 g
1 g de safran poudre
4 olivettes noires dénoyautées
10 cl d'huile d'olive
Sel

Mayonnaise :
1 œuf
10 cl d'huile d'arachide
1 cuillère à café de vinaigre de vin
Sel, poivre

Vinaigrette balsamique :
1 cuillère à soupe d'huile d'olive
1 cuillère à café de vinaigre balsamique
Sel, poivre
1/2 botte de ciboulette

L'arlequin de rougets et artichauts est une entrée méridionale, synonyme de printemps. Ces poissons attendent l'arrivée de la saison pour réapparaître sur les bords du littoral azuréen.

Le rouget barbet est très apprécié pour sa chair délicate. Son goût tout à fait exceptionnel est unique. Si vous éprouvez des difficultés pour lever les filets, demandez à votre poissonnier de le faire. Vérifiez cependant qu'ils soient parfaitement désarêtés. Selon l'arrivage, vous pouvez les remplacer par des lisettes qui sont des petits maquereaux. Notre chef vous conseille de recouvrir les filets d'une feuille d'aluminium pour éviter que l'odeur de cuisson n'imprègne le four.

Pour réaliser cette recette, choisissez des petits artichauts violets. Les poivrades sont reconnaissables à leur jolie teinte verte violacée, parfois presque chinée. Très tendres, ils peuvent se consommer crus. Les feuilles doivent être intactes sans taches et bien fermées.

N'oubliez pas de faire tremper les fonds dans un mélange d'eau et de jus de citron pour éviter l'oxydation. Une fois coupés en lamelles, ils doivent être mélangés à la mayonnaise et au jus de citron. Vous pouvez choisir une mayonnaise déjà préparée. Une cuillère à café suffit pour lier les artichauts. Selon la saison, notre chef vous suggère d'ajouter des févettes.

Si la vinaigrette vous semble trop grasse, ajoutez un peu de jus de cuisson des pommes de terre. L'eau parfumée au safran apportera une saveur délicate.

Quant aux arlequins, la pâte d'olives noires apporte au poisson sa saveur fruitée. Avant de découper les olives noires en rouelles, pensez à les éponger dans du papier absorbant.

L'arlequin de rougets et artichauts est une entrée très colorée. Pour Joël Garault, *"ce plat se révèle très chatoyant au goût et légèrement chatouilleux en bouche"*. À découvrir sans tarder...

Tournez les artichauts en commençant par enlever les feuilles situées à la base. Laissez un peu de tige. Plongez-les dans l'eau citronnée puis à l'aide d'une cuillère pomme parisienne, enlevez le foin.

Coupez les artichauts en lamelles. Épluchez la pomme de terre. Coupez-la en fines rouelles et mettez-les en cuisson à ébullition dans de l'eau safranée et salée pendant 10 min. Égouttez-les.

Préparez la mayonnaise. Incorporez 1 c. à c. de mayonnaise avec le jus d'un citron. Si le mélange paraît trop épais, délayer avec un peu d'eau. Montez au fouet. Incorporez les lamelles d'artichauts dans le mélange et remuez. Coupez les olives en rouelles et égouttez-les.

et artichauts

JOËL
GARAULT

Cuisson : 15 min

Après avoir écaillé les rougets, levez les filets et désarêtez-les avec une pince à épiler. Dans un plat contenant 10 cl d'huile d'olive, déposez 6 filets, côté peau sur le dessus.

Prenez les 6 filets restants et étalez côté peau la pâte d'olives. Mettez au four pendant 5 min, à 160°C, l'ensemble des filets en position gril. Lavez la salade et réalisez la vinaigrette.

À l'aide d'un cercle, masquez les rouelles de pomme de terre avec la pâte d'olives. Dans l'assiette, placez en éventail les lamelles d'artichauts, les rouelles d'olives, dressez 3 filets de rouget, la salade assaisonnée avec la ciboulette.

CHRISTIAN
ÉTIENNE

Brandade de morue

| 4 personnes | ★ | Préparation : 40 min |

300 g de morue salée
300 g de cabillaud frais
50 cl de lait
50 cl d'huile d'olive
4 gousses d'ail
1/2 baguette
1 zeste d'orange
10 g de gingembre frais (facultatif)
Sel
Poivre

Crème d'ail :
1/2 tête d'ail
1 litre de lait
25 cl de crème fraîche liquide
Sel
Poivre

Décoration :
50 g de truffe
Paprika (facultatif)

À Nîmes, la brandade de morue est enracinée dans le patrimoine au même titre que les arènes romaines, la Maison Carrée ou encore la feria. Ce poisson des mers froides n'est commercialisé sous ce nom que salé et séché. Frais, il se présente sous l'appellation de cabillaud. La distinction entre la morue et le "cabillaud" n'existe qu'en France, seul pays à pratiquer deux pêches bien distinctes : l'une pour la morue fraîche, l'autre pour la morue salée.

Pour réussir cette recette, pensez à changer plusieurs fois l'eau du dessalage. La peau et les arêtes de la morue doivent être enlevées avant la préparation de la brandade. Le pochage dans le lait donne au poisson une couleur blanche.

Notre chef vous suggère pour faciliter le montage à l'huile d'olive de passer au dernier moment le mélange au mixeur. Christian Étienne accommode tous ses plats d'une pointe d'ail. Cette recette de poisson ne peut se passer de cette plante à bulbe de la famille des liliacées,

originaire d'Asie centrale. Pour atténuer légèrement son goût, n'oubliez pas de blanchir l'ail dans le lait jusqu'à ébullition. Recommencez cette opération trois fois, puis rincez-le sous l'eau avant de réaliser la sauce.

Le zeste d'orange est un clin d'œil aux origines provençales de la brandade. Comme le gingembre, il n'est pas indispensable.

La brandade de morue se déguste chaude. La truffe du Vaucluse apporte une touche de raffinement à ce plat familial. Ce champignon très recherché est de grosseur variable. Sa couleur est généralement noire ou brun sombre, parfois grise ou blanche. Si vous préférez conserver la simplicité de cette recette, vous pouvez remplacer la truffe par des olives noires, hachées grossièrement.

Pour décorer les assiettes, le chef vous propose de placer quelques fleurs de thym, présentes dans la garrigue nîmoise.

Coupez en gros morceaux la morue dessalée et le cabillaud. Faites-les pocher dans le lait en ajoutant le zeste d'orange et le gingembre frais. Portez à ébullition 3 à 4 min.

Égouttez la morue et le cabillaud. Avec une spatule en bois, disposez les poissons dans un faitout et réduisez-les en purée.

À l'aide de la spatule, montez la brandade à l'huile d'olive en remuant vivement sur le bord du feu pendant une quinzaine de minutes, jusqu'à l'obtention d'une pâte homogène.

aux copeaux de truffe

Avec la pointe d'une fourchette, grattez les 4 gousses d'ail. Puis incorporez-les à la brandade. Rectifiez légèrement l'assaisonnement (Attention au sel).

Pour la crème d'ail, faites blanchir l'ail 3 fois dans le lait. Mouillez-le à hauteur avec la crème fraîche. Laissez cuire à feu doux environ 20 min. Assaisonnez. Passez le mélange au mixeur à grande vitesse. Rectifiez l'assaisonnement et la consistance en ajoutant un peu d'eau.

Coupez la baguette en rondelles. Faites griller les croûtons au four 3 min, et frottez-les d'ail. Dressez ensuite l'assiette en plaçant 3 quenelles de brandade, ajoutez dessus les lamelles de truffe, versez la sauce en cordon, saupoudrez les croûtons de paprika.

Calamars farcis

4 personnes   ★   **Préparation : 35 min**

4 petits calamars de 100 g pièce
1 oignon
1/2 bouquet de persil
1/2 bouquet de ciboulette
10 g d'estragon
1 poivron rouge
20 g de tomate confite
2 gousses d'ail
50 g d'olives noires dénoyautées

50 g de pourpier (salade)
2 cuillères à soupe d'huile d'olive
Sel
Poivre

Vinaigrette balsamique :
3 cuillères à soupe d'huile d'olive
1 cuillère à soupe de vinaigre balsamique
Sel
Poivre

Notre chef a souhaité à travers cette entrée rendre hommage à sa mère. C'est elle qui lui a donné le goût de la cuisine provençale. Les calamars de mamie Simone sont un clin d'œil à son enfance. Christian Étienne se souvient avec tendresse de la préparation de ce plat dans la cuisine familiale : *"Avec mes frères, nous nous chamaillions pour trier les calamars. J'adorais aider ma mère quand elle concoctait cette recette"*. Mamie Simone préparait généralement la veille ce plat du vendredi.

Le calamar est un mollusque de la famille des céphalopodes, très apprécié sur le pourtour méditerranéen. Il est aussi appelé encornet, calmar, chipiron ou supion. Au moment de les nettoyer, prenez garde de ne pas perforer leur poche. N'oubliez pas avant de les placer dans l'assiette de retirer les piques en bois.

Le poivron apporte à la farce toute sa saveur. Ce fruit, issu d'une variété de piment doux, est une plante pota-

gère herbacée de la famille des solanacées. Utilisé comme légume, le poivron, de différentes couleurs, se distingue des piments forts par sa grosseur. À l'achat, il doit être bien brillant. Il se prépare épépiné et parfois pelé. Le chef conseille de le faire blanchir une dizaine de minutes pour lui ôter son amertume et de le rafraîchir sous l'eau quelques instants. Il peut être remplacé par une petite ratatouille de courgettes et d'aubergines.

Le pourpier est une plante potagère vivace, de la famille des portulacacées. Originaire de l'Inde, il était apprécié des Romains pour sa saveur légèrement piquante. Riche en magnésium, il se consomme en salade.

La recette de mamie Simone, aux accents sétois, est une entrée chaude très rafraîchissante et facile à réaliser. Dans le midi, elle se déguste surtout l'été.

Nettoyez doucement sous l'eau vive les calamars en séparant les tentacules des poches. Enlevez le cartilage en évitant de perforer la poche. Ôtez les yeux et le bec. Rincez abondamment.

Après les avoir essuyés, salez et poivrez. Hachez finement les tentacules et faites-les revenir, pendant 1 min, avec 1 c. à s. d'huile d'olive.

Ajoutez les oignons émincés et l'ail haché. Faites-les blondir en remuant bien.

e Mamie Simone

Cuisson : 20 min

Lavez et coupez le poivron en petits dés. Faites-le blanchir dans l'eau salée à peu près 10 min après ébullition. Finissez la farce en ajoutant dans la casserole, les dés de poivron, 35 g d'olives noires et le persil hachés. Rectifiez l'assaisonnement.

Farcissez de cette préparation les poches de calamars jusqu'aux 3/4. Avec un pique en bois, fermez-les aux deux extrémités. Poêlez avec 1 c. à s. d'huile d'olive environ 2 à 3 min jusqu'à coloration.

Préparez la vinaigrette balsamique avec le sel, le poivre, le vinaigre et l'huile d'olive en ajoutant les dés d'olives noires, de tomate confite, la ciboulette et l'estragon hachés. Dressez le pourpier au centre de l'assiette, et les calamars autour. Décorez avec la vinaigrette.

Cœurs d'artichaut façor

4 personnes	★★	Préparation : 40 min

16 artichauts violets
1 citron

Garniture aromatique :
2 carottes
2 gousses d'ail
2 oignons
25 cl de vin blanc sec
1 cube de bouillon de volaille
1 cuillère à soupe d'huile d'olive

Bouquet garni :
Laurier
Thym
Persil
Sel, poivre

Pistes :
600 g de pistes ou petites têtes d'encornets
1 cuillère à café de pastis
1 cuillère à soupe d'huile d'olive
10 g de beurre

Persillade :
20 g de beurre
2 gousses d'ail
1 bouquet de persil
Sel, poivre

Décoration :
Pluches de cerfeuil

C'est Catherine de Médicis, la gourmande, qui a introduit les artichauts en France, sans quoi notre chef Alain Carro n'aurait pas pu réaliser sa recette. Pour la petite histoire, celle-ci a été inspirée par l'une des préparations aux artichauts d'un illustre cuisinier, Roger Vergé, installé à Mougins près de Cannes. Dans cette même région, on surnomme volontiers les artichauts violets "épineux ou poivrades". Ils sont cultivés dans le Var, aux alentours de Hyères non loin du restaurant de notre chef.

Un bon artichaut, doit être relativement lourd et ferme aux feuilles dures et très serrées. On peut le réserver quelques jours dans le bac à légumes du réfrigérateur. Attention cuit, il s'oxyde très vite. Mieux vaut le consommer rapidement après la cuisson. Le Violet de Provence qui figure dans notre recette possède un capitule allongé, d'une couleur verte ponctuée de violet. Ce légume de la famille des composés, riche en fer et diurétique, est souvent présent dans les régimes hypocaloriques.

La barigoule est le nom provençal d'un champignon du genre lactaire. Qui, lorsqu'il se rompt, laisse échapper un suc laiteux. À l'origine, une recette paysanne voulait que l'on cuise les artichauts comme ces champignons. Coupés au ras de la queue, ils étaient arrosés d'huile, puis grillés.

Les autres vedettes de la recette sont des petits mollusques ressemblant aux encornets, appelés pistes ou supions en Méditerranée. Autre spécialité méridionale, le pastis. C'est une véritable institution apéritive dans le sud de la France. Et toute l'originalité de la recette réside dans le déglaçage de ces produits marins au pastis. Par ailleurs, si ces derniers venaient à manquer, notre Maître Cuisinier de France, vous conseille de les remplacer par des hauts d'encornets. En outre, Alain Carro a su admirablement marier la saveur anisée à celle de l'artichaut. L'effet en bouche est surprenant !

Tournez les artichauts, en retirant les premières feuilles. Ne gardez que les fonds et le haut de leur pédoncule. Plongez-les dans de l'eau citronnée afin qu'ils ne noircissent pas.

Poêlez les pistes dans 1 c. à s. d'huile d'olive, pendant 1 à 2 min pour les raidir. Cette manœuvre consiste à les saisir. L'eau doit s'évaporer. Égouttez-les et réservez-les.

Pour la garniture, cannelez les carottes et coupez-les en rondelles très fines, taillez des anneaux fins d'oignons, débitez les gousses d'ail en lamelles fines. Faites-les revenir dans 1 c. à s. d'huile d'olive et ajoutez le bouquet garni. Assaisonnez.

arigoule et pistes

ALAIN
CARRO

Cuisson : 25 min

Ajoutez les artichauts dans la préparation aromatique revenue, le tout doit être assez blond. Laissez cuire pendant 15 min à feu doux.

Déglacez les artichauts avec le vin blanc et faites s'évaporer pendant 5 min. Faites fondre 1 cube de bouillon de volaille dans la préparation.

Poêlez au beurre les pistes, avec la préparation de persillade préalablement hachée et mélangée. Déglacez avec 1 c. à c. de pastis. Dressez avec quelques pluches de cerfeuil. Rectifiez l'assaisonnement.

Confit d'aubergines

4 personnes   ★   **Préparation : 25 min**

2 grosses aubergines
4 tranches fines de jambon cru
50 g de farine
100 g de gros sel
50 g de tomate concassée
50 g de mozzarella
100 g de riquette sauvage
Parmesan râpé
Thym
15 cl d'huile d'olive
Sel, poivre

Vinaigrette balsamique :
4 cuillères à soupe d'huile d'olive

1 cuillère à soupe de vinaigre balsamique
1 cuillère à soupe de vinaigre de vin vieux
1 cuillère à soupe de sirop de gingembre
1/2 cuillère à café de sel
1 pincée de poivre

Décoration :
2 gousses d'ail
20 g de julienne de truffe
20 g de julienne de parmesan
4 branchettes de thym
Sel de Guérande
Huile de friture

Le confit d'aubergines du Palais Maeterlinck tire son nom du célèbre palace niçois où officie le chef Laurent Broussier. Ce lieu splendide, chargé d'histoire, qui fut l'ancienne propriété du poète Maurice Maeterlinck, est situé entre le port de Nice et la rade de Villefranche. Dans ce cadre exceptionnel, Laurent Broussier confectionne pour sa clientèle des recettes raffinées, issues uniquement de produits provençaux.

Pour cette entrée, c'est l'aubergine qu'il a choisi de mettre à l'honneur. Originaire de l'Inde, ce fruit allongé ou arrondi n'a été introduit dans le Sud de la France qu'au XVIIe siècle. Les Parisiens ont dû attendre la Révolution pour le découvrir ! Sa peau lisse et brillante, d'un violet plus ou moins foncé (il en existe cependant des blanches) recouvre une chair claire et ferme. Alors qu'à l'origine, les aubergines étaient cuites entières, piquées, vidées puis compotées, le chef a décidé de les tailler crues, de les poêler et enfin de les confire en les

mélangeant à de la mozzarella. Du coup, le goût s'en trouve accentué. Pour éviter que les rondelles soient huileuses, saisissez-les rapidement lors du poêlage. Avant de les passer au four, mettez un papier d'aluminium dans le plat. Ainsi, les aubergines n'accrocheront pas.

Nice se trouvant située à quelques kilomètres de l'Italie, il n'est pas étonnant de retrouver dans cette entrée la célèbre mozzarella. Fabriqué dans les régions du Latium et de Campanie, ce fromage est à base de lait de bufflonne ou de vache. La mozzarella se présente sous forme de boules ou de pains, de grosseur variable. Conservée dans de l'eau salée ou du petit-lait, elle se caractérise par sa saveur douce et légèrement acidulée.

La riquette, qui est une salade azuréenne, peut être remplacée par de la roquette, moins acide, ou éventuellement par de la frisée. Facile à réaliser, cette entrée est un beau voyage culinaire aux portes du Palais Maeterlinck...

Lavez, essuyez puis coupez les aubergines en rondelles sans les peler. Faites-les dégorger dans du gros sel pendant environ 1 h.

Rincez ensuite les aubergines et séchez-les. Farinez-les. Faites-les dorer à la poêle, 5 à 6 min dans de l'huile d'olive.

Taillez la mozzarella en petits morceaux. Mixez-les en assaisonnant avec le sel, le poivre et le thym.

du Palais Maeterlinck

LAURENT BROUSSIER

Cuisson : 20 min   **Dégorgement des aubergines : 1 h**

Montez sur 3 étages les rondelles d'aubergines, en les tartinant de mozzarella et de tomate concassée. Saupoudrez de parmesan râpé. Mettez au four à 180°C pendant 12 min.

Préparez la vinaigrette balsamique destinée à assaisonner la riquette, en mélangeant au fouet les ingrédients. Épluchez et émincez l'ail. Après l'avoir blanchi, faites frire les pétales dans l'huile, en les tournant énergiquement.

Enroulez chaque confit d'aubergines d'une tranche de jambon. Dressez la salade en dôme en posant dessus l'ail frit, la julienne de truffe et de parmesan, quelques grains de sel de Guérande et une branche de thym.

4 personnes   ★   **Préparation : 35 min**

150 g de lentilles vertes
2 oranges
1/2 citron
2 pamplemousses
1 branche de thym
1 feuille de laurier
1 gousse d'ail
12 coquilles Saint-Jacques
6 tranches de jambon de Parme
1 échalote
1 botte de riquette sauvage
1 bouquet de ciboulette

10 cl d'huile d'olive
Sel
Poivre

Vinaigrette :
1 cuillère à soupe d'huile d'olive
2 suprêmes de pamplemousse
Jus de cuisson des lentilles

Décoration :
8 suprêmes d'orange
4 suprême de pamplemousse
Ciboulette

Le duo de lentilles et Saint-Jacques aux agrumes est une création surprenante par son originalité. Joël Garault a, en effet, souhaité ensoleiller ce plat d'hiver avec des agrumes du pays mentonnais.

Incorporés à la cuisson des lentilles, l'orange, le pamplemousse et le citron apportent à cette recette leur saveur légèrement acidulée. Si ces agrumes sont présents toute l'année sur les marchés, leur pleine saison débute en novembre et s'achève en mars. L'orange est un fruit particulièrement apprécié pour sa teneur en vitamines A et C. Selon la variété, elle est plus ou moins sucrée, acidulée ou parfumée. À l'achat, choisissez-la bien ferme avec la peau lisse.

Le pamplemousse, également riche de ces mêmes vitamines doit être lourd. Selon sa couleur, ce fruit est plus ou moins acide ou amer ; le blanc étant le moins sucré de tous. Vous pouvez éventuellement vous passer de ce dernier pour réaliser cette recette.

Le citron, quant à lui, est très riche en vitamine C. Choisissez-le bien dur et sans taches.

Notre chef vous conseille vivement de vous procurer des lentilles vertes du Puy. Labellisées, elles sont cultivées en Auvergne sur un sol volcanique et profitent également d'un microclimat. Ces légumes secs se caractérisent par une peau fine, une chair non farineuse et un goût délicat. Attendez la mi-cuisson pour saler les lentilles. Ainsi, elles ne durciront pas.

Ce plat met également en lumière les coquilles Saint-Jacques. À l'achat, elles doivent être fermées. Au toucher, si elles ne se referment pas, ne les consommez pas. Selon l'arrivage, vous pouvez les remplacer par des langoustines. Le jambon de Parme étant déjà salé, assaisonnez ces dernières très légèrement.

Le duo de lentilles et Saint-Jacques aux agrumes est une entrée rafraîchissante, gorgée de vitamines. Une excellente idée pour affronter les premiers froids hivernaux.

Pressez 1 orange, 1 pamplemousse, 1/2 citron. Faites cuire les lentilles avec le jus d'agrumes. Ajoutez 1 gousse d'ail non pelée coupée en 2, le thym, le laurier. Versez 3 fois le volume des lentilles en eau et 1 c. à s. d'huile d'olive. Laissez cuire environ 30 min. Salez à mi-cuisson.

Égouttez les lentilles et conservez le jus. Incorporez dans les lentilles, l'échalote hachée et la ciboulette ciselée. Ouvrez les coquilles. Nettoyez-les en passant le doigt sous la poche noirâtre et tirez pour enlever la membrane et les barbes. Lavez les noix et égouttez-les.

Pelez à vif l'autre orange et l'autre pamplemousse. Pour la décoration, faites 8 suprêmes d'orange et 4 suprêmes de pamplemousse. Réservez un suprême de pamplemousse.

Saint-Jacques aux agrumes

JOËL
GARAULT

Cuisson : 35 min

Dans le jus d'agrumes réservé, incorporez 1 c. à s. de lentilles cuites, 1 suprême de pamplemousse pour lier la sauce. Passez au mixeur en ajoutant 2 c. à s. d'huile d'olive. Versez 4 c. à c. de cette sauce dans les lentilles.

Coupez les tranches de Parme en lanières dans le sens de la longueur. Enroulez-les autour des noix de Saint-Jacques. Placez un pique en bois pour les fermer.

Faites cuire, 1 min de chaque côté, les noix de Saint-Jacques avec 1 c. à s. d'huile d'olive. Poivrez légèrement. Placez au centre de l'assiette, les lentilles, posez dessus les suprêmes et la ciboulette. Mettez autour les noix coupées en 2, intercalez la riquette et versez un cordon de sauce vinaigrette.

45

JEAN PLOUZENNEC

4 personnes ★ **Préparation : 20 min**

400 g de calamars
4 douzaines d'escargots
1 tomate
1 cuillère à soupe d'huile d'olive
1 pincée de safran
Gros sel gris
Sel fin
Poivre

Sofregit :
150 g de chair à saucisse
1 oignon
1 gousse d'ail
1 cuillère à soupe d'huile d'olive

Bouquet garni :
Thym
Laurier
Romarin

Jean Plouzennec a souhaité vous présenter une recette typiquement catalane. Le mélange des saveurs de la terre et de la mer certifie que vous êtes bien dans les Pyrénées-Orientales, et nulle part ailleurs ! Cela est d'autant plus attesté, que le fameux *sofregit* entre dans la composition de la préparation. Ce dernier est un pilier de la gastronomie catalane. C'est en quelque sorte une base culinaire. Ses ingrédients diffèrent au gré des habitudes familiales. Une fois la frontière franco-espagnole franchie, le *sofregit* se transforme en *el sofrito*. En Espagne, on l'agrémente même d'un bien curieux produit marin : le concombre de mer.

Dès qu'il y a une tendance à l'humidité dans l'air, les Catalans ramassent les escargots petits-gris pour réaliser notre recette. Bien meilleurs en hiver, hors de la période de jeûne, leur chair s'avère plus fine et plus corsée. Si vous vous les procurez vivants, selon les conseils de notre chef, donnez-leur de la farine et du thym. Faites-les jeûner quelques jours, ainsi ils se purgeront et auront une saveur des plus subtiles.

Veillez à bien les rincer successivement dans trois bains d'eau froide. Ainsi, vous les débarrasserez de toutes leurs impuretés. En France, sachez que la collecte des petits-gris est très réglementée. Très friands de ces gastéropodes, les Romains maîtrisaient déjà avec raffinement toutes les subtilités de l'élevage des escargots, ou "héliciculture".

Pour que la mer rencontre la terre, la recette requiert des blancs de calamars. Vous les couperez en deux ou les débiterez en anneaux, s'ils sont vendus entiers et s'ils sont trop gros. Ils se présentent souvent surgelés, mais préférez les frais, leur consistance est meilleure sous la dent.

Si l'aspect de ces mollusques vous rebutait quelque peu, demandez à votre poissonnier habituel de vous les préparer. L'ultime conseil : choisissez de préférence des calamars du début de l'automne, c'est la meilleure saison pour les apprécier !

Nettoyez les escargots à l'eau claire, dans 3 bains successifs (Attendez 5 min entre chaque bain). Faites cuire les escargots dans un faitout au naturel, sans eau.

Nettoyez les calamars, videz-les et enlevez la pellicule noirâtre. Essorez-les correctement. S'ils sont gros, coupez-les en 2.

Pour le sofregit, épluchez puis émincez l'oignon et l'ail. Faites-les revenir en cocotte, dans 1 c. à s. d'huile d'olive. Ajoutez la chair à saucisse et le bouquet garni, et laissez fondre 5 min.

calamars safranés

JEAN
PLOUZENNEC

Cuisson : 1 h 10

Dans une poêle très chaude, faites sauter les calamars dans 1 c. à s. d'huile d'olive. Ajoutez une pincée de gros sel gris. Versez les calamars dans la cocotte, sur le sofregit et cuisez pendant 2 min.

Ébouillantez, pelez et épépinez la tomate. Coupez-la en petits cubes. Ajoutez-les dans le sofregit aux calamars. Saupoudrez de safran. Assaisonnez, et laissez mijoter pendant 30 min.

Une fois les 30 min écoulées, ajoutez les escargots dans le sofregit, et laissez mijoter de nouveau 30 min, à couvert. Servez équitablement dans des cassolettes individuelles ou dans un plat de service.

Filets de rouge

4 personnes	★★	Préparation : 1 h

6 rougets de 150 g
2 pommes de terre roseval
50 g de tapenade noire
4 gousses d'ail violet
5 cl d'huile d'olive
1 tomate
20 cl de fond blanc
1/2 citron

1 bouquet de persil
Sel
Poivre

Salade :
100 g de riquette
100 g de feuilles de chêne
100 g de pousses d'épinards

Les filets de rouget à la rourétoise tirent leur nom du petit village, Le Rouret, où est installé Daniel Ettlinger. Cette entrée de poisson, agrémentée de salades cuites et de pousses d'épinards, est typique du Sud de la France.

Notre chef a retenu pour cette recette des salades de caractère. Leur mélange subtil au goût, doit être respecté. Aussi, recommande-t-il des salades typées qui feront ressortir la douceur des pousses d'épinards. Cette plante potagère, originaire de Perse, aux feuilles vertes foncées, cloquées ou lisses contient de nombreux minéraux et vitamines. Pensez lors de la préparation à bien laver les pousses et de les faire tomber dans l'huile d'olive afin qu'elles dégorgent et réduisent. La batavia, réputée elle aussi pour sa douceur, peut les remplacer.

Daniel Ettlinger vous propose, selon le marché, de choisir de la trévise, dont l'amertume est proche de l'endive. La riquette, salade produite dans l'arrière-pays niçois, se caractérise par un goût poivré. Si vous l'incorporez au mélange, ne poivrez pas les filets de rougets. Pour notre chef, la riquette peut être substituée par de la barbe de capucine ou du pissenlit.

Cette garniture accompagne idéalement le rouget barbet de Méditerranée. Ce poisson, apprécié pour sa chair délicate, fragile mais de bonne texture est irremplaçable. Son goût tout à fait exceptionnel est unique. Si vous éprouvez des difficultés pour lever les filets, demandez à votre poissonnier de le faire. Vérifiez cependant qu'ils soient parfaitement désarêtés.

Au moment du poêlage, notre chef vous livre une astuce pour savoir si la température de l'huile est suffisamment chaude : placez dans la poêle, une minuscule noisette de beurre. Dès qu'elle frémit, votre huile est prête.

Les pommes de terre roseval sont présentes sur les étals toute l'année. Elles se reconnaissent à leur forme oblongue et à leur couleur rouge. Notre chef vous suggère d'ajouter deux tranches de citron pour donner du goût au jus.

Les filets de rouget à la rourétoise sont une entrée très rafraîchissante qui se déguste principalement l'été.

Écaillez les rougets. À l'aide d'un couteau, entaillez derrière la nageoire, longez l'arête dorsale en partant de la tête jusqu'à la queue. Retournez le poisson et recommencez l'opération. Avec une pince à épiler, ôtez les petites arêtes des filets.

Lavez et essuyez les pommes de terre. Coupez-les en rondelles d'environ 1/2 cm d'épaisseur. Faites-les rôtir avec 1 c. à s. d'huile d'olive. Ajoutez 4 gousses d'ail en chemise et laissez revenir environ 3 min. Salez, poivrez.

Sortez les rosevals et tartinez-les de tapenade. Conservez un peu de tapenade pour l'assaisonnement et la décoration. Lavez la tomate et coupez-la en tranches. Placez-les sur les pommes de terre. Remettez-les dans la casserole.

à la rourétoise

DANIEL ETTLINGER

Cuisson : 20 min

Mouillez à mi-hauteur avec le fond blanc. Ajoutez 2 tranches de citron. Mettez au four, pendant 20 min, à 200°C.

Salez et poivrez les rougets. Poêlez les filets avec 1 c. à s. d'huile d'olive en commençant par le côté peau, pendant 2 min. Réservez.

Faites tomber les salades, pendant 1 min, dans la poêle des rougets. Salez. Assaisonnez avec le jus de cuisson des pommes de terre, l'huile d'olive, le persil haché et le restant de tapenade. Dressez dans l'assiette, la salade, posez dessus les filets. Placez les roseval. Décorez avec du persil haché.

ANGEL
YAGUES

Fricassée d'asperges e

4 personnes	★	Préparation : 30 min

1 kg d'asperges vertes
4 œufs
250 g de poitrine fumée
100 g d'olives noires dénoyautées
20 g de beurre
3 cuillères à soupe de vinaigre blanc
Sel
Poivre

Vinaigrette :
4 cuillères à soupe d'huile d'olive
2 cuillères à soupe de vinaigre de Xérès
Sel
Poivre

La fricassée d'asperges et son œuf poché est une entrée très rafraîchissante. Facile à élaborer, cette recette s'avère idéale pour les repas improvisés. En effet, la préparation et la cuisson demandent peu de temps. Le chef, qui a pour habitude de travailler uniquement avec les produits locaux, préfère sans conteste l'asperge verte. Produite dans l'arrière-pays languedocien, son goût est proche de l'asperge sauvage.

Déjà connue des Égyptiens, appréciée des Romains, l'asperge est une plante vivace de la famille des liliacées. Sa culture ne commença en France qu'au XVIIe siècle. Louis XIV les aimait particulièrement. L'agronome Jean de La Quintinie, pour parfaire les désirs du roi, approvisionnait la cour dès le mois de décembre.

Fraîche, l'asperge doit être rigide, de couleur franche et cassante avec une section brillante. Entourée d'un torchon humide, elle se conserve seulement 3 jours. La blanche, qui peut éventuellement remplacer la verte, est plus douce au goût. Mais sa présentation dans le plat manque d'effets. Pour la fricassée, vous devez les tailler en sifflets. Vous pouvez toujours conserver les queues pour préparer plus tard un potage, une sauce ou une mousse.

Pour cette entrée, il est impératif de pocher l'œuf au dernier moment. L'eau vinaigrée permet au jaune de s'envelopper de son blanc comme d'une poche. La ventrèche est le nom donné à la poitrine de porc salée, puis roulée. Elle est essentielle dans la préparation de cette recette. C'est elle, en effet, qui apporte du goût aux asperges et aux œufs.

Le vinaigre de Xérès, fabriqué artisanalement, est très parfumé, et assez corsé. Vous pouvez le remplacer par du vinaigre de vin vieux.

Les olives peuvent laisser leur place à la truffe qui doit être hachée. Mariée à la fricassée d'asperges et à l'œuf poché, elle apporte à cette entrée un raffinement certain.

Lavez les asperges. Enlevez avec un couteau les petites pointes sur la tige. Après les avoir équeutées, ficelez-les. Laissez cuire à peu près 10 min dans de l'eau salée.

Quand les asperges ont refroidi, ôtez la ficelle et taillez les pointes en sifflets.

Coupez la poitrine en losanges et faites-la dorer dans une poêle antiadhésive, 4 min environ, sans ajouter de matière grasse. Préparez ensuite votre vinaigrette avec les ingrédients en commençant par le sel, le poivre, le vinaigre de Xérès et l'huile d'olive.

son œuf poché

**ANGEL
YAGUES**

Cuisson : 15 min

Dans la poêle de la poitrine, faites revenir avec une noisette de beurre les asperges 3 à 4 min. Salez et poivrez légèrement.

Dans une casserole d'eau, versez le vinaigre blanc. Cassez les œufs dans des petits ramequins. Quand l'eau frémit, faites-les pocher environ 2 min. Retirez-les avec une écumoire.

Dressez les asperges en bataille dans l'assiette, disposez l'œuf au centre. Placez les losanges de poitrine et parsemez le plat d'olives noires hachées et assaisonnées avec la vinaigrette.

Gnocchi aux châtaignes

4 personnes ★★ **Préparation : 45 min**

500 g de châtaignes précuites
1 kg de pommes de terre belle de fontenay
200 g de cèpes
220 g de beurre
10 cl de crème fleurette
50 g de farine

1 bouquet de cerfeuil
Sel
Poivre

Essence de champignons :
2 kg de champignons de Paris

Aliment de base autrefois, la châtaigne s'est aujourd'hui ennoblie. Elle est entrée par la petite porte des grands restaurants, notamment dans celui d'Alain Carro, notre chef.

Sa recette de gnocchi aux châtaignes auraient pu être élaborée en Ardèche, pourquoi ? Simplement parce que les châtaignes Sardonnne y sont cultivées depuis le XVIe siècle. Curieusement, les historiens ont bien du mal à attester l'origine de ce fruit. Cependant l'Orient reste une source très probable.

Mais pour les gnocchi, il n'y a aucun doute possible. Leur origine est bien italienne. Ils ont même inspiré les cuisines austro-hongroise et alsacienne. Ils sont aussi façonnés en petits boudins et très souvent servis en entrée chaude.

Quant aux cèpes qui agrémentent le plat, ils se cueillent de mai à novembre. Sachez que les meilleurs et les plus parfumés ne sont pas les plus gros ! Choisissez-les de taille moyenne, ils seront plus tendres. Très fragiles, vous éviterez surtout de les mettre au réfrigérateur.

Pour réaliser au mieux la recette des gnocchi aux châtaignes et aux cèpes, le mélange doit contenir 2/3 de pommes de terre et 1/3 de châtaignes. Pour la purée, n'utilisez pas le mixeur ! Sinon elle devient collante... Procurez-vous une variété de pommes de terre à chair ferme, celle que nous avons choisie est de la belle de fontenay. Vous pouvez aussi la substituer à de la ratte ou à de la charlotte.

Notre chef vous recommande de bien dessécher la purée pour réaliser de beaux gnocchi. Pour varier, confectionnez des gnocchi à base de pommes de terre et d'épinards et agrémentez-les d'une sauce au beurre et aux fines herbes.

Nous vous conseillons, de préparer l'essence de champignons la veille. Entre juin et octobre, confectionnez-la avec des girolles. L'essence sera plus délicate ! Gardez précieusement l'extrait de champignons, il pourra parfumer d'autres plats. Si les cèpes en conserve ne blondissent pas, ne vous étonnez pas, c'est normal ! En toute fin de préparation, selon notre chef, le nec plus ultra, serait de râper quelque fines lamelles de truffes.

Cuisez les pommes de terre et les châtaignes, pendant 15 min. Pressez à la cuillère les châtaignes. Passez les pommes de terre à la moulinette mécanique. Mélangez les deux purées et passez le tout à l'étamine. Séchez la purée dans une casserole, à feu doux pendant 2 min.

Travaillez les gnocchi sur une assiette farinée. Formez avec la purée, des petits boudins de 2,5 cm de long sur 2 cm de diamètre. Roulez-les avec l'index sur le plat de la fourchette. Prévoyez une douzaine de gnocchi par assiette.

Plongez les gnocchi dans un gros volume d'eau bouillante salée, pendant 2 min. Les gnocchi doivent tous remonter à la surface. Réservez-les au chaud. Découpez grossièrement les cèpes et poêlez-les dans 10 g de beurre. Réservez-les.

et aux cèpes

ALAIN
CARRO

Cuisson : 3 h 30

Pour l'essence de champignons : la veille, réduisez en duxelles les champignons de Paris. Cuisez à petit bouillon avec 3 litres d'eau, pendant 2 h 30 à découvert.

Passez à l'étamine la duxelles de champignons, foulez. Ajoutez les champignons. Réduisez encore le jus pendant 30 min à découvert. Faites revenir les cèpes dans 10 g de beurre.

Montez l'essence : faites fondre 200 g de beurre, versez 5 c. à s. d'essence de champignons, incorporez la crème. Fouettez. Assaisonnez, portez à ébullition 2 à 3 min. Nappez les gnocchi de cette sauce, dressez avec les cèpes revenus et des pluches de cerfeuil.

Huîtres en beignets

2 douzaines d'huîtres de Bouzigues
250 g d'épinards en branches
1 verre de Noilly Prat
1 échalote
25 cl de crème fraîche
1 litre d'huile de friture
Sel
Poivre

Pâte à beignets :
200 g de farine
3 œufs
25 cl de lait
12 cl de bière
Sel

Décoration :
Ciboulette (facultatif)

Des huîtres en beignets ! Voilà une entrée originale. Habituellement, ce coquillage se consomme nature, accompagné simplement d'un jus de citron ou d'une sauce vinaigrée à l'échalote.

L'huître de Bouzigues est spécifiquement cultivée en Méditerranée et plus précisément dans l'étang de Thau. Elle doit son appellation à un petit village de l'Hérault, qui bien avant la présence romaine était déjà réputé pour sa production ostréicole. Contrairement au dicton populaire affirmant que les huîtres se consomment uniquement les mois en " r ", les producteurs du bassin de Thau en récoltent toute l'année. Attention tout de même : ces coquillages sont extrêmement fragiles. Ils doivent impérativement être conservés dans un endroit frais et aéré, à l'abri du soleil, à une température comprise entre 5°C et 15°C.

Selon votre marché, vous pouvez remplacer les huîtres de Bouzigues, par des moyennes de Marennes, moins iodées. Après le pochage, laissez reposer les huîtres dans leur coquille pour qu'elles rejettent leur eau. Attendez le dernier moment pour les frire.

Pour la pâte à beignets, évitez de monter les blancs en neige trop tôt sinon ils retombent.

Pour cette recette, le choix des épinards n'a rien d'anodin : blanchis, ils facilitent l'enveloppement de l'huître ; ils la protègent aussi lors de la cuisson ; enfin, ils apportent au goût des beignets une pointe de douceur. Le chef propose de les remplacer éventuellement par de l'oseille.

La sauce à l'échalote doit être peu salée car les huîtres sont iodées. Le Noilly Prat est un vin cuit au soleil, au goût très parfumé. Typiquement régional, il peut s'éclipser au profit d'un vin blanc Chardonnay, voire d'un champagne. Selon sa fantaisie, le chef dresse parfois les beignets en couronne autour de l'assiette et verse au centre un fond de sauce. Il lui arrive même d'ajouter une langoustine et de la ciboulette !

Déposez les huîtres en cuisson dans un fond d'eau pendant 8 min. Conservez un peu d'eau de cuisson. Passez ensuite les huîtres légèrement sous l'eau froide pour les ouvrir. Enlevez le muscle puis replacez les huîtres dans leur coquille.

Confectionnez la pâte à beignets en mélangeant bien la farine, les jaunes d'œufs et le sel. Versez la bière et le lait. Montez les blancs en neige en ajoutant une pointe de sel. Incorporez-les délicatement à la pâte et mélangez jusqu'à onctuosité. Laissez reposer 1 h au réfrigérateur.

Faites blanchir, pendant 1 min, les épinards lavés dans de l'eau bouillante salée. Prenez soin d'enlever les côtes. Enveloppez les huîtres dans les feuilles.

ANGEL
YAGUES

Cuisson : 20 min

Réfrigération de la pâte : 1 h

Trempez les feuilles d'épinard dans la pâte à beignets avec une fourchette pour que la pâte adhère bien.

Faites revenir 3 min l'échalote hachée. Ajoutez le Noilly Prat et laissez réduire de moitié pendant 5 min. Incorporez l'eau filtrée de la cuisson des huîtres. Crémez et laissez cuire 2 min. Poivrez et rectifiez l'assaisonnement. Mixez le tout et tamisez pour enlever les morceaux d'échalote.

Dans l'huile très chaude, faites frire les beignets pendant 2 min. Épongez-les dans du papier absorbant. Placez-les ensuite dans les coquilles sur une feuille d'épinard. Versez la sauce crémée dans des ramequins en ajoutant la ciboulette ciselée.

Huîtres de Bouzigues,

4 personnes	★★	Préparation : 30 min

16 huîtres de Bouzigues bien grasses
250 g de vert de blettes
50 g de poutargue
10 cl de crème fraîche épaisse

60 g de beurre
1 gousse d'ail
Sel
Poivre du moulin
Gros sel

Coquillage de charme, l'huître peut désormais être dégustée toute l'année ! Aujourd'hui, le progrès et le rendement de l'élevage des huîtres ou "ostréiculture" permettent de contester certaines idées reçues quant à leur saison de consommation. Situé au bord du bassin de Thau, le village de Bouzigues fournit des huîtres renommées du 1er janvier au 31 décembre !

Notre Maître Cuisinier de France Georges Rousset, préfère employer de grosses huîtres creuses et délicates, bien grasses et laiteuses, qui se prêtent mieux à être cuisinées. À défaut d'huîtres de Bouzigues, vous pouvez les remplacer par de savoureuses huîtres "Marennes-Oléron", ou changer de fruits de mer en utilisant des coquilles Saint-Jacques. Toutefois, il vous conseille de conserver la farce à base de blettes.

Pour ouvrir très facilement les huîtres, le chef vous recommande de préchauffer le four à 160°C et de les enfourner pendant 10 min, en les mettant bien à plat sur la plaque du four. Récupérez immédiatement leur eau.

Pour notre recette, seuls les feuilles des blettes ou "vert", sont conservées. Vous récupérerez les tiges blanches pour en faire un gratin ! Notre chef aime apporter un subtil parfum aillé dans ses légumes. Pour cela, il pique une gousse d'ail épluchée au bout d'une fourchette, avec laquelle il remue le vert des blettes, durant la cuisson.

Cette entrée est d'autant plus étonnante qu'elle met en scène un autre produit méditerranéen, la poutargue, également connue sous le nom de "caviar de Martigues" ou "caviar blanc". Cette spécialité à base d'œufs de mulet séchés et pressés, fait aussi le bonheur des Tunisiens, qui l'appellent "boutargue". Elle se présente sous l'aspect de saucisses aplaties, enrobées de paraffine blanche pour la conservation. Il n'est nullement besoin de saler la crème, car la poutargue l'est déjà bien assez. Néanmoins, cette dernière n'est pas indispensable à la recette… sauf pour les gourmands !

Ouvrez les huîtres, réservez le jus et filtrez-le. Réservez séparément la chair. Nettoyez les coquilles. Lavez le vert des blettes. Blanchissez-le 4 min à l'eau bouillante salée. Égouttez et pressez afin d'extraire toute l'eau de cuisson. Hachez-le au couteau.

Dans une casserole, faites fondre 10 g de beurre avec le hachis de blettes, et remuez à la fourchette piquée d'une gousse d'ail. Ajoutez 1 c. à s. de crème, réduisez. Salez, poivrez. Garnissez chaque coquille d'huître avec cette farce, et formez un petit creux au centre.

Étalez bien les chairs d'huîtres dans une casserole, pour qu'elles cuisent uniformément sur les deux faces. Pochez-les dans leur eau, 4 min sans ébullition. Lorsqu'elles sont à peine cuites, égouttez-les. Conservez aussi le jus.

vert de blettes à la poutargue

GEORGES ROUSSET

Cuisson : 20 min

Disposez d'abord une lamelle de poutargue dans le creux de la farce aux blettes. Avec une cuillère, installez les chairs d'huître par-dessus.

Pour réaliser la sauce, faites réduire le jus des huîtres, sans saler. Ajoutez 6 c. à s. de crème fraîche et laissez réduire jusqu'à obtention d'une belle nappe. Incorporez ensuite 50 g de beurre, remuez pour monter la sauce.

Râpez la poutargue restante dans la sauce. Faites cuire à feu très doux, 2 min sans ébullition. Disposez les coquilles d'huîtres sur un lit de gros sel afin qu'elles soient bien calées. Nappez l'intérieur de sauce bien chaude. Servez sans attendre.

JEAN-MICHEL
MINGUELLA

Lasagnes de crabe

4 personnes   ★   **Préparation : 20 min**

400 g de chair de crabes
1 kg de favouilles
1 litre de fumet de poisson
25 cl de crème fraîche liquide
50 g de cèpes secs
8 plaques de pâte à lasagnes
15 cl de cognac
25 cl de vin blanc
1 poignée de riz ou farine
2 tomates
1 cuillère à soupe de concentré de tomates

8 gousses d'ail
1 oignon
1 échalote
5 cuillères à soupe d'huile d'olive
2 piments oiseau secs
Sel
Poivre

Décoration :
10 cl de crème fraîche liquide

Saviez-vous qu'en provençal, les *favouilles* étaient les femelles des *favous*. Ce couple aux pinces aiguisées comme des couperets et au nom chantant désigne dans le Sud de la France des succulents petits crabes de roche. La saveur de ces crustacés est proche de celle des étrilles.

Pour la petite histoire, notre chef marseillais a imaginé cette recette de crabes lors d'un retour de voyage outre-Atlantique. Les Américains sont très friands de ces animaux décapodes. Inspiré par leur goût, il décida de créer "les lasagnes de crabes sauce favouilles".

Si vous désirez ramasser ces crustacés, il vous suffit de retrousser vos pantalons et de vous promener sur les bords du littoral méditerranéen, et de retourner les cailloux. La prudence sera de rigueur, les *favouilles* sont assez hargneuses ! Pour éviter tous désagréments, saisissez ces crabes entre le pouce et l'index, vers l'abdomen et mettez-les dans un panier que vous fermerez soigneusement. Ces petits crustacés ont la fuite facile ! Autrefois, ils servaient d'appât pour la pêche au loup de mer.

Si la capture de ces petits crabes demeure infructueuse, vous pouvez les jours d'apparat, optez pour le homard ou la langouste. Le tourteau baptisé "dormeur" dans le Sud de la France conviendra aussi parfaitement. Jean-Michel Minguella vous suggère de préserver quelques *favouilles* pour la décoration du plat. Veillez lors de la préparation de la sauce, à ne pas fouler exagérément les crabes, lors du passage au chinois. Vous risqueriez de les briser et de troubler votre sauce.

Quant aux cèpes qui agrémentent ce mets, ils peuvent être utilisés frais, en revanche, il vous en faudra davantage pour que la saveur soit aussi prononcée qu'avec des secs. Manipulez avec précaution les piments oiseau. Pour atténuer le piquant de ces féroces minuscules, pensez à les ôter, avant de passer la sauce au chinois. Cette entrée doit être servie très chaude. Par ailleurs, nous vous suggérons aussi de napper le dessus de ces délicieuses lasagnes.

Sauce : faites revenir à l'huile oignon émincé et ail haché. Ajoutez quartiers de tomates, concentré et favouilles. Faites revenir, parsemez de farine, cuisez 5 min. Déglacez et flambez au cognac. Réduisez, mouillez de fumet, réduisez de nouveau, chinoisez et crémez.

Pour le crabe : faites revenir dans une sauteuse une échalote ciselée, puis mettez la chair de crabe. Laissez revenir, assaisonnez puis flambez au cognac. Laissez réduire.

Ajoutez 2 piments oiseau, puis les cèpes préalablement découpés, trempés dans l'eau tiède et essorés.

Cuisson : 30 min

Mouillez avec le fumet de poisson, jusqu'à hauteur de la chair de crabe. Laissez réduire jusqu'à évaporation complète du fumet.

Mouillez avec 20 cl de crème fraîche, jusqu'à mi-hauteur. Laissez réduire de moitié. Vérifiez l'assaisonnement. Faites bouillonner encore 2 min. Pour cuire les plaques à lasagnes, mettez à bouillir 1,5 l d'eau salée additionnée d'1 c. à s. d'huile d'olive.

Plongez les lasagnes 6 min dans l'eau bouillante. Séchez-les sur du papier absorbant. Nappez le fond d'un plat avec la sauce. Posez 4 fonds de lasagne, puis la chair de crabe et une autre plaque de lasagne. Avec un cornet rempli de crème, décorez selon votre envie.

FRANCIS
ROBIN

Le grand aïoli

4 personnes   ★   **Préparation : 1 h**

8 pommes de terre
500 g de haricots verts
1/2 chou-fleur
2 betteraves cuites
4 carottes
4 œufs
400 g de morue séchée
4 artichauts
1 kg de bulots
3 branches de thym
1 feuille de laurier
Poivre en grains

Garniture aromatique des bulots :
1 carotte
1 poireau
1 oignon
1 clou de girofle
3 branches de thym
1 feuille de laurier

Sauce aïoli :
8 gousses d'ail
50 cl d'huile d'olive
3 œufs
1 pointe de couteau de safran
Sel, poivre

Les Méditerranéens disent souvent que l'aïoli est le plat emblématique du sud de la France, parce que les légumes qui l'accompagnent ont le goût du soleil. Cette préparation est d'abord un plat de fête qui réunit toutes les familles, parfois tout un village en été ! D'habitude c'est un plat unique, et si vous décidiez de le servir ainsi, pensez à augmenter la quantité de tous les ingrédients. Notre chef a choisi pour sa part de le présenter en entrée.

L'aïoli s'apparente à une sauce mayonnaise, dont le nom est formé de "l'ail" et de "l'oli" (huile, en provençal), ingrédients qui entrent dans la composition de ce plat. L'ail qu'il faut choisir doit être scrupuleusement sélectionné : le bulbe sera dur et surtout bien sec. L'ail blanc se conserve six mois, dans un endroit frais et sec, alors que le rose se garde un an. Choisissez une excellente huile d'olive pour réaliser ce plat hautement méridional. Notre Maître Cuisinier vous recommande une huile extra vierge de première pression à froid, dense et très parfumée.

Les légumes méritent d'être de saison et d'une excellente fraîcheur ! Votre chou-fleur sera bien blanc, vous trouverez les meilleurs à la fin de l'été. Procurez-vous des pommes de terre à chair ferme, de type charlotte ou roseval, qui tiendront bien pendant leur cuisson à l'eau ou à la vapeur.

Les bulots sont parfois remplacés par des bigorneaux, ou même par des petits-gris, escargots à la chair fine et corsée.

La morue sèche doit être soigneusement brossée avant d'être dessalée, et nécessite un trempage de 24 heures. Pensez à changer l'eau régulièrement pour évacuer l'excédent de sel. Si vous la fragmentez, le processus de dessalage s'accélèrera ! À défaut de morue ou si vous désirez réaliser plus rapidement notre recette, il est possible d'employer des filets de cabillaud à la place du poisson salé.

Lavez les bulots. Versez-les dans une casserole, mouillez à hauteur, ajoutez 1 c. à c. de poivre en grains et la garniture aromatique : carotte découpée, 1 blanc de poireau découpé, l'oignon piqué avec le clou de girofle, le thym et le laurier. Faites cuire 40 min.

Lavez et épluchez les carottes, rincez les pommes de terre, équeutez les haricots verts, lavez et séparez les bouquets du chou-fleur. Tournez les artichauts, ôtez les premières feuilles. Coupez de moitié leur pédoncule et pelez-les. Faites cuire 4 œufs à l'eau bouillante pendant 10 min.

Faites cuire séparément tous les légumes à l'eau salée : les pommes de terre 15 min, les carottes, les artichauts et le chou-fleur pendant 10 min et les haricots verts 8 min. Réchauffez les betteraves à l'eau chaude. Réservez le tout.

Cuisson : 1 h

Pochez la morue, préalablement dessalée 24 h, dans l'eau avec 3 branches de thym, 1 feuille de laurier et une dizaine de grains de poivre. Laissez frémir pendant 5 à 6 min.

Pour préparer la sauce aïoli, épluchez les gousses d'ail et débarrassez-les de leur germe. Dans un mortier, pilez l'ail puis ajoutez le sel, le poivre et les 3 jaunes d'œufs.

Versez l'huile d'olive petit à petit sur la préparation, et montez le tout comme pour une mayonnaise. Ajoutez la pointe de couteau de safran. Dressez dans un grand plat les légumes, la morue, les bulots, les œufs durs et la sauce aïoli.

FRANCIS
ROBIN

Les petits farci.

50 cl de bouillon de volaille
3 tranches de pain de mie
4 cuillères à soupe d'huile d'olive
Sel
Poivre

Courgettes farcies :
6 petites courgettes
30 g de jambon blanc
1 oignon moyen
4 petits champignons de Paris
2 cuillères à soupe d'huile d'olive

Tomates farcies :
4 tomates de 80 g
100 g de chair à saucisses
1 oignon
1/4 de botte de persil
3 branches de thym
1 gousse d'ail
2 cuillères à soupe
d'huile d'olive

Champignons farcis :
4 gros champignons de
50 g

30 g de petit salé
1 oignon
1 gousse d'ail
2 cuillères à soupe
d'huile d'olive

Oignons farcis :
4 oignons pailles de 100 g
1 œuf
4 cuillères à soupe de
crème fraîche épaisse
40 g de gruyère râpé
30 g de beurre

Les petits farcis sont originaires du sud de la France. Notre chef, Francis Robin les affectionne et raffine même la recette en farcissant différemment chaque sorte de légume.

Pour que ces derniers soient d'une tenue irréprochable, notre recette vous demandera un peu de patience lors de sa réalisation. En effet, il y a beaucoup de mise en place avant l'ultime phase qui consistera à farcir tous les légumes.

Pour mieux réussir vos petits farcis, quelques conseils s'imposent : pour évider les légumes, procurez-vous une cuillère à pommes parisienne, qui vous facilitera la tâche. Vous pouvez cependant le faire à l'aide d'une cuillère à café. Mais il faut alors veiller à ne pas percer les légumes.

Vous pouvez remplacer les "oignons paille" par des oignons nouveaux, plus tendres et plus doux, disponibles sur les étals d'avril à début juin. Attention ces derniers

cuisent moins vite ! Piquez-les à la fourchette pour constater leur tendreté.

Assurez-vous aussi du bon calibrage des champignons à farcir, ils doivent être assez larges. En outre, dès que vous aurez haché les champignons et leurs pieds, faites-les revenir immédiatement, pour les empêcher de noircir. Pour les courgettes, l'idéal serait d'en trouver des rondes, qui seront beaucoup plus faciles à farcir. À défaut, choisissez-en des petites, bien fermes et droites et délaissez les grosses, moins savoureuses !

Quant aux tomates, nous vous recommandons les "roma", cultivées de juillet à octobre en Provence. Bien sûr, vous pouvez réaliser notre préparation avec d'autres petites tomates aussi savoureuses. Selon les produits de votre marché, il est tout à fait possible de farcir, de la même manière d'autres légumes comme l'aubergine, l'artichaut, le poivron et la pomme de terre.

Rincez les courgettes, découpez-les en tronçons de 4 cm. Évidez-les avec une cuillère à pommes parisienne. Blanchissez les tronçons 5-6 min à l'eau salée. Hachez la chair des courgettes, les 4 petits champignons, l'oignon et le jambon. Réservez-les.

Pour la farce des courgettes, faites revenir le hachis précédent à la poêle, dans 2 c. à s. d'huile d'olive pendant 2 min. Épépinez les tomates. Détaillez-les dans la largeur. Coupez le pain de mie en dés de 1 cm.

Pour la farce des tomates, hachez oignon, persil et ail. Faites-les revenir dans 2 c. à s. d'huile, ajoutez chair à saucisses, thym, sel, poivre. Cuisez 2 min. Faites revenir 5 c. à s. de dés de pain dans 2 c. à s. d'huile d'olive. Prélevez-en la valeur de 3 c. à s., ajoutez-les à la farce des tomates.

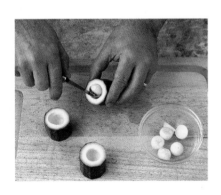

de Provence

FRANCIS
ROBIN

Cuisson : 1 h 15

Pour la farce des champignons, retirez les pieds des champignons. Creusez les chapeaux, hachez leurs pieds ainsi que l'ail et l'oignon. Coupez le petit salé en dés. Faites revenir le tout 2 min dans 2 c. à s. d'huile d'olive. Ajoutez le reste du pain rissolé. Assaisonnez.

Pour la farce des oignons, épluchez-les et cuisez-les 30 min à l'eau salée. Coupez-les dans la largeur, creusez-les et gardez un chapeau. Hachez leur chair, poêlez-la au beurre. Mélangez-la avec 1 jaune d'œuf battu, le gruyère et la crème. Salez et poivrez. Préchauffez le four à 200°C.

Salez tous les fonds des légumes à farcir : courgettes, champignons, tomates et oignons. Farcissez chaque légume. Disposez tous les farcis dans un plat avec le bouillon de volaille et 2 c. à s. d'huile d'olive. Enfournez durant 25 min. Servez chaud, arrosé d'un filet d'huile d'olive.

LAURENT BROUSSIER

Millefeuille d'artichau

| 4 personnes | ★ | Préparation : 25 min |

8 artichauts piquants
150 g de gorbio
100 g de riquette
2 gousses d'ail
Thym
3 cuillères à soupe
d'huile d'olive
20 cl d'huile de friture
Sel de céleri (facultatif)
Sel
Poivre

Marinade :
2 cuillères à soupe de
vinaigre balsamique
3 cuillères à soupe d'huile
d'olive
Sel
Poivre

Vinaigrette balsamique :
4 cuillères à soupe
d'huile d'olive

1 cuillère à soupe de vinaigre balsamique
1 cuillère à soupe de vinaigre de vin vieux
1 cuillère à soupe de sirop de gingembre
1/2 cuillère à café de sel
1 pincée de poivre

Décoration :
1 tomate confite
3 fleurs de céleri
4 copeaux de parmesan
Sel de Guérande

Le millefeuille d'artichaut mariné au fromage de chèvre est un plat du terroir méditerranéen. Pour cette entrée, le choix du chef s'est arrêté sur le gorbio. Fabriqué dans l'arrière-pays niçois, ce fromage peut être remplacé par un crottin de Chavignol. Laissez-le mariner longtemps, afin qu'il s'imprègne bien de l'assaisonnement légèrement sucré.

Selon le marché, essayez de trouver des artichauts piquants dont le goût s'avère plus amer. Originaire de Sicile, cette plante vivace de la famille des composées est fréquemment utilisée dans la cuisine italienne et azuréenne. La tête (pomme) est formée d'un réceptacle (fond) entouré de feuilles (bractées). Charnu et tendre, le fond est comestible une fois débarrassé de son foin. La base des feuilles est également délicieuse. Introduit en France par la reine Catherine de Médicis, l'artichaut fut longtemps utilisé comme remède. On peut le conserver frais quelques jours en plongeant sa tige dans l'eau, comme une fleur. Quant aux fonds d'artichauts, laissez-

les tremper dans de l'eau citronnée : ils éviteront ainsi de noircir. Si vos artichauts sont très gros, coupez le cœur en deux. Vous pouvez également vous procurer des fonds surgelés.

Le goût de l'ail s'atténue lorsqu'il est blanchi. Après l'avoir émincé, il suffit de le plonger dans de l'eau froide et de porter à ébullition. Il est important de renouveler cette opération trois fois. Assaisonnez ensuite les pétales frits avec du sel de céleri. La riquette, salade de production locale, peut être remplacée par de la roquette ou de la frisée.

Pour le montage du millefeuille, commencez par le fond et ajoutez ensuite le gorbio. Placez au sommet les pétales d'ail frits et les copeaux de parmesan. Ajoutez les fleurs de céleri, la tomate confite et une pincée de sel de Guérande. Pour un goût plus soutenu, n'hésitez pas à préparer le montage du millefeuille à l'avance. Dans ce cas, assaisonnez la salade au moment de servir.

Coupez le gorbio en tranches d'1 à 2 cm d'épaisseur. Comptez 3 tranches par millefeuille. Faites-les mariner 1 h avec le vinaigre balsamique, l'huile d'olive, sel et poivre.

Avec un couteau, équeutez et épluchez les artichauts en les tournant jusqu'au fond. Avec une cuillère à pomme parisienne, enlevez le foin. Émincez les fonds en fines lamelles de 2/3 mm d'épaisseur.

Poêlez les lamelles d'artichauts dans l'huile d'olive jusqu'à coloration. Salez, poivrez légèrement et ajoutez un peu de thym émietté. Épongez-les dans du papier absorbant.

u chèvre mariné

LAURENT
BROUSSIER

Cuisson : 10 min   Marinade du gorbio : 1 h

Épluchez l'ail, émincez-le et faites-le blanchir. Égouttez l'ail puis faites-le frire en tournant énergiquement les pétales dans l'huile, afin qu'ils ne collent pas.

Préparez la vinaigrette pour la riquette en commençant par le sel et le vinaigre balsamique. Ajoutez ensuite le vinaigre de vin vieux, le sirop de gingembre, l'huile d'olive et le poivre. Mélangez au fouet et ajoutez 1 c. à s. d'eau.

Élaborez le millefeuille sur 3 étages, en disposant les lamelles d'artichauts sur la première tranche de gorbio. Au sommet, placez ensuite les pétales d'ail et les copeaux de parmesan. Ajoutez dans l'assiette la riquette assaisonnée et les éléments de décoration.

JEAN-CLAUDE
VILA

Millefeuille de chou

4 personnes   ★   **Préparation : 20 min**

1/2 chou frisé
300 g de ventrèche
2 cuillères à soupe de saindoux
1 saucisse demi-sèche
1 pain de seigle
Gros sel
Sel
Poivre

Décoration :
4 tomates cerise
1 oignon frais pour le vert (facultatif)

Le millefeuille de chou et ventrèche est une entrée traditionnelle de Cerdagne, région des Pyrénées-Orientales, partagée, en 1659, entre l'Espagne et la France. À l'origine, les paysans utilisaient, pour préparer ce plat, des choux touchés par la gelée. Ils les faisaient cuire avec le saindoux et la ventrèche. Jean-Claude Vila a repris cette recette rustique en lui apportant une touche de modernité.

La ventrèche n'est plus mise en cuisson avec le chou. Cette poitrine de porc, salée puis roulée, est présentée, dans les assiettes, sous forme de fines tranches croustillantes. Elles apportent leur craquant face au moelleux du chou.

Si les paysans conservaient autrefois, par souci d'économie, les choux verts abîmés, choisissez pour votre part un chou avec les feuilles bien serrées, sans trous, sans cassures, craquantes et rigides. Avant de le préparer, enlevez les premières feuilles. Faites-le blanchir à l'eau salée pendant cinq minutes après l'ébullition. Renouvelez cette opération trois fois en changeant l'eau. Après l'avoir égoutté, faites-le rafraîchir dans de l'eau glacée. Notre chef insiste sur la cuisson du chou : il doit bien dorer jusqu'à l'évaporation complète de son eau.

Le saindoux, dans lequel il cuit, est une matière grasse extraite à chaud du lard ou de la panne de porc. Cette substance onctueuse et blanche est généralement utilisée pour les longues cuissons.

Le millefeuille de chou et ventrèche s'accompagne généralement d'une tranche de pain de seigle. Cette céréale, voisine du froment, originaire d'Anatolie et du Turkestan, est essentiellement cultivée dans les régions montagneuses et sur les terrains pauvres. La farine de seigle donne un pain à la mie brune et dense, au goût légèrement acide, qui possède l'avantage de bien se conserver.

Cette entrée d'hiver, repensée par notre chef, est un bel hommage au patrimoine culinaire de l'arrière-pays catalan.

Découpez 8 fines tranches de ventrèche. Disposez-les sur une plaque et couvrez-les avec une autre plaque. Mettez au four, à 180°C, pendant 15 min. Retirez-les. Roulez 4 tranches pour la décoration et réservez.

Coupez le restant de la ventrèche en petits dés. Faites-les rissoler dans la poêle sans ajouter de matière grasse.

Après avoir blanchi 3 fois, 5 min, le chou dans le gros sel, égouttez-le. Coupez le chou en cubes.

et ventrèche

JEAN-CLAUDE
VILA

Cuisson : 50 min

Coupez une partie de la saucisse en petits dés et hachez l'autre partie. Ajoutez-les dans la poêle avec la ventrèche. Faites revenir 5 min. Réservez quelques rondelles de saucisses pour la décoration.

Ajoutez le chou et le saindoux. Salez, poivrez. Faites revenir 10 min.

À l'aide d'un emporte-pièce, découpez des galettes de chou. Dressez dans l'assiette, la galette, disposez autour les rondelles de saucisse, ajoutez les tranches de ventrèche. Décorez avec le vert d'oignon émincé et la tomate cerise. Découpez des tranches de pain de seigle.

DANIEL
ETTLINGER

Œuf poché sur pissaladière

4 personnes ★ **Préparation : 20 min**

Pissaladière :
4 oignons blancs
2 gousses d'ail
1 branche de thym frais
100 g d'olives noires de Nice
9 filets d'anchois à l'huile
4 tranches de baguette campagnarde
1 tranche de lard
3 cuillères à soupe d'huile d'olive
4 œufs
2 cuillères à soupe de vinaigre blanc

300 g de salades de saison
50 g de pousses d'épinards
Sel
Poivre

Vinaigrette balsamique :
3 cuillères à soupe d'huile d'olive
1 cuillère à soupe de vinaigre balsamique
Sel, poivre

Décoration :
4 olives noires
1 tige de cébette

La pissaladière est un encas niçois par excellence. À l'origine, le pissalat était composé d'alevins d'anchois mis en saumure. Conservé toute l'année dans des pots en grès, il se mariait à toutes les sauces.

Avec le temps, cette préparation s'est enrichie d'une pâte à pain cuite, garnie d'anchois, d'oignons et d'olives noires. Aujourd'hui, la pissaladière fait partie intégrante du patrimoine culinaire niçois. Notre chef vous propose d'habiller cette entrée d'un œuf poché et de jeunes pousses de salades.

Les anchois, indispensables pour confectionner la garniture pissaladière sont des petits poissons de mer. Mesurant 20 cm au maximum, au dos vert bleu et aux flancs argentés, ils sont très abondants en Méditerranée. Vendus frais, salés entiers ou en filets, ils sont commercialisés aussi en boîtes, sous forme de filets à l'huile. Toutefois, prenez garde lors de l'assaisonnement : les filets que vous devez utiliser sont déjà salés.

Pour les oignons, notre chef vous suggère de choisir de préférence des blancs ou des rouges. Très fondants, ils compotent plus facilement.

Pour réaliser cette entrée, il est impératif de pocher les œufs au dernier moment. Surtout ne salez pas l'eau vinaigrée. Elle permet au jaune de s'envelopper de son blanc comme d'une poche. Le chef vous conseille de rincer les œufs à l'eau claire pour leur ôter le goût du vinaigre.

Daniel Ettlinger vous propose, en fonction de la saison, d'accompagner votre pissaladière avec 50 g de riquette, 50 g de mâche et une petite frisée. Les pousses de ces salades sont extrêmement rafraîchissantes et dévoilent leur subtilité grâce à la vinaigrette balsamique.

L'œuf poché sur sa pissaladière aux pousses de jeunes salades est une entrée idéale à déguster l'été. Elle devrait ravir tous celles et ceux qui apprécient les saveurs de la Riviera...

Confectionnez la pissaladière en commençant par éplucher et couper les oignons en quartiers. Après cette opération, épluchez l'ail et coupez les gousses en quartiers.

Dans une casserole, faites suer les oignons, l'ail et le thym avec 1 c. à s. d'huile d'olive. Ajoutez 1 filet d'anchois et la tranche de lard. Salez et poivrez légèrement. Laissez cuire environ 30 min à feu doux en rajoutant le couvercle.

Coupez les tranches de pain et arrosez-les d'huile d'olive. Placez-les au four, position gril, à 200°C, pendant 3 min environ. Lavez les pousses de salades et d'épinards.

et pousses de salades

DANIEL
ETTLINGER

Cuisson : 40 min

Retirez de la pissaladière la branche de thym et la tranche de lard. Puis garnissez les morceaux de pain avec la compote d'oignons.

Disposez les filets d'anchois sur les morceaux de pain. Ajoutez dessus les olives dénoyautées. Dans une casserole d'eau, versez le vinaigre et portez à ébullition. Cassez les œufs dans des ramequins et faites-les pocher, 4 min, dans l'eau vinaigrée.

Confectionnez la vinaigrette en commençant par le sel, le poivre, puis le vinaigre et l'huile d'olive. Ajoutez les olives coupées et la cébette ciselée. Placez dans l'assiette la salade assaisonnée, le pain, l'œuf poché. Décorez avec les olives et la cébette.

JEAN-CLAUDE
VILA

Omelette de Pâques

4 personnes   ★   **Préparation : 10 min**

6 œufs
1 botte d'asperges sauvages
1 tranche de ventrèche salée
1 boudin catalan
1 oignon frais

100 g de saucisse sèche
20 g de beurre
10 cl d'huile d'olive
Sel
Poivre

Avant le traditionnel lundi de Pâques, les enfants catalans, accompagnés par les chants des adultes, tambourinent à la porte des habitants. Ces derniers les accueillent dans la joie et remplissent d'œufs frais, leur petit panier. Ce rituel ancestral annonce à la communauté chrétienne l'arrivée du jour saint.

Le lundi, toutes les familles partent en pèlerinage à travers l'arrière-pays et se recueillent dans les petites chapelles. En cours de route, elles garnissent les paniers des enfants en ajoutant des asperges sauvages, aux pointes finement ciselées.

La dégustation de l'omelette de Pâques aux asperges sauvages est l'occasion de se retrouver à l'extérieur et de profiter des premiers beaux jours. Certains Catalans préfèrent la confectionner avec de petits artichauts violets. Peu importe finalement. Chacun est libre d'ajouter, s'il le souhaite, des escargots ou tout autre ingrédient. Le seul impératif est de respecter la tradition. La base de cette recette ne varie guère : œufs, ventrèche, boudin et oignons.

Le mot omelette viendrait de lamelle, une petite lame. Cette appellation rappelle la forme aplatie de ce mets, qui s'appela d'abord alumelle puis alumette et amelette. Sa réussite dépend de la qualité de la poêle et de la cuisson. La charcuterie étant déjà salée et poivrée, notre chef vous conseille d'incorporer avant la cuisson de l'omelette, une pointe d'œufs battus et de rectifier l'assaisonnement après l'avoir goûtée.

Le boudin noir catalan, appelé *boutifar*, est composé uniquement de museau de porc. Cette spécialité réputée à l'avantage de ne pas éclater en cuisson. Vous pouvez éventuellement remplacer le *boutifar* par de la saucisse fraîche, mais le goût poivré de ce dernier risque de faire défaut. Demandez, cependant, à votre charcutier de suspendre la saucisse deux ou trois jours afin qu'elle sèche.

L'omelette de Pâques aux asperges sauvages est une entrée printanière qui apporte la tradition catalane à la table familiale.

Coupez la saucisse en fines rondelles, le boudin et la ventrèche en petits dés.

Dans un saladier, cassez les œufs et battez-les avec une fourchette.

Rincez les asperges. Pour la décoration, coupez 12 têtes. Équeutez les autres asperges et coupez-les en petits morceaux. Faites-les revenir avec les têtes, environ 2 min, avec 5 cl d'huile d'olive. Réservez.

aux asperges sauvages

JEAN-CLAUDE
VILA

Cuisson : 15 min

Dans la même poêle, ajoutez le restant d'huile d'olive. Incorporez l'oignon émincé, la saucisse, la ventrèche et le boudin. Faites revenir environ 4 min. Salez, poivrez si nécessaire.

Incoroporez les œufs battus dans la poêle. Mélangez avec la fourchette.

Roulez au départ l'omelette dans la poêle et terminez dans le plat. Lustrez-la au beurre. Incisez légèrement l'omelette et placez harmonieusement les pointes d'asperges.

4 personnes   ★   **Préparation : 35 min**

150 g de farine de pois chiches
10 cl d'huile d'olive
Huile de friture
Sel

Sauce tomates :
5 tomates
2 filets d'anchois salés à l'huile
1 oignon
1 échalote

10 olives noires
1 pointe de couteau de piment de Cayenne

Bouquet garni :
2 feuilles de laurier
1 branche de thym
2 branches de persil plat

Dans les années trente à Marseille, les vendeurs ambulants du Vieux Port proposaient à tour de bras leurs panisses aux amateurs. Très en vogue à l'époque, ces petites galettes aux pois chiches se sont maintenant répandues tout le long de la côte méridionale. Dans le Sud, on les surnommait aussi parfois "pain du pauvre".

Cette préparation appartient sans conteste au fond culinaire méditerranéen. Le pois chiche est une légumineuse qui a conquis depuis longtemps les plats de couscous, l'estouffade, certaines potées, les ragoûts ou l'*olla podrida* (pot-au-feu espagnol). On le retrouve aussi en Israël, sous forme de petites boulettes appelées *falafels*, et en purée dans le *houmos* libanais.

Depuis le Moyen Âge, les pois chiches sont bien connus en Europe. Ils sont vendus soit secs, soit cuits en conserve. Afin de les rendre plus digestes s'ils sont secs, laissez-les tremper toute une nuit dans de l'eau froide additionnée de bicarbonate de soude, avant de les mettre en cuisson.

Lorsque vous utiliserez la farine de pois chiches, veillez à ce qu'elle cuise doucement, sans former de grumeaux. Aux dires de Georges Rousset, l'habitude ancienne voulait que l'on remue la bouillie avec une branche de laurier. Était-ce pour la parfumer subtilement ? Désormais, seuls les anciens détiennent l'explication. Notre chef vous conseille également de privilégier une huile d'olive de première pression à froid, très parfumée et de couleur dense.

Vous pouvez aussi déguster vos panisses en compagnie d'une petite salade. S'il vous en reste, régalez-vous quelques jours plus tard, en les accommodant d'une autre sauce : on peut les saupoudrer de parmesan râpé et gratiner, les surmonter de lamelles de champignons, ou les recouvrir d'une sauce pesto composée de basilic, d'ail, de pignons de pin grillés et d'huile d'olive.

Versez 50 cl d'eau dans une casserole. Ajoutez une pincée de sel, 10 cl d'huile d'olive et portez à ébullition.

Retirez la casserole du feu. Laissez tomber en pluie la farine de pois chiches, en remuant avec une spatule en bois pour éviter les grumeaux.

Laissez épaissir à feu doux, en tournant constamment pendant environ 15 min pour que le mélange épaississe sans attacher.

Cuisson : 25 min

Lorsque l'appareil forme une bouillie épaisse, versez-le dans des moules à mini-tartelettes. Laissez refroidir à l'air libre. D'autre part, mondez, épépinez, pelez puis concassez les tomates destinées à la sauce. Épluchez puis émincez l'oignon et l'échalote.

Faites revenir 1/2 oignon et 1/2 échalote, ajoutez tomates et bouquet garni. Lorsque la sauce est bien fondue, ôtez le bouquet et mixez. Réchauffez ce coulis. Ajoutez les olives hachées, le piment de Cayenne et les anchois et faites-les fondre pendant 2 min.

Démoulez les galettes de panisse. Plongez-les 2 min environ dans une friture d'huile brûlante, pour les faire dorer. Servez les panisses toutes chaudes, disposées sur un lit de sauce tomates aux olives.

JEAN-MICHEL
MINGUELLA

Salade de poisson.

4 personnes	★	Préparation : 15 min

800 g de filets de poissons selon arrivage :
Loup
Rougets grondins
Saint-pierre
Sébaste
Coquille Saint-Jacques
Crevettes décortiquées
Cigales de mer
1 poivron rouge
1 poivron vert
4 tomates
3 échalotes
1 botte de ciboulette

Vinaigrette :
2 citrons
30 cl d'huile d'olive
Sel, poivre
Tabasco

Court-bouillon :
3 branches de thym
10 grains de poivre noirs
10 grains de poivre blancs
3 petits bâtons de fenouil secs
1 étoile de badiane

Cette entrée proposée par Jean-Michel Minguella met en scène un somptueux filet de pêche. En effet, tous les succulents poissons de la Méditerranée ont mordu à l'hameçon de notre chef.

Nous vous prions de redoubler de vigilance lorsque vous vous procurerez tous ces poissons : loup, galinette, baudroie, saint-pierre, sébaste, et crustacés. Veillez à ce qu'ils soient d'une fraîcheur irréprochable, d'une odeur agréable, fringants et aux écailles brillantes. Leurs ouïes devront être d'un beau carmin.

Faites lever tous les filets par votre poissonnier, ainsi vous n'aurez plus qu'à débarrasser les dernières arêtes des chairs de poissons à la pince à épiler. À défaut des poissons précités, vous pourrez composer ce méli-mélo de chairs marines, avec du mérou, du thon blanc, de la liche ou de l'espadon.

Lors des jours fastes, vous substituerez les cigales de mer par des langoustes, c'est encore plus élégant ! En résumé, pour réaliser cette recette, vous utiliserez des poissons à chair blanche qui se tiennent bien à la cuisson du court-bouillon. En ce qui concerne les moules, vous les ferez cuire à part. Ainsi, elles ne risqueront pas de souiller la chair des poissons, par le sable emprisonné dans leur coquille.

Quant aux produits terrestres de ce mets, veillez à utiliser des poivrons croquants, bien frais, fermes et lisses. Leurs pédoncules seront assez verts et rigides. Ils devront être sans taches et sans flétrissures. Leur couleur rehaussera le camaïeu rouge-orangé des produits de la mer cuits.

Particulièrement diététique, ce mets requiert peu de matières grasses pour sa préparation. En outre, vous choisirez une très bonne huile d'olive. Le liquide précieux du Sud de la France, devra parfumer allègrement la déclinaison marine. La bouteille d'or devra porter la mention "huile d'olive vierge extra". Pour ce plat n'hésitez pas à choisir celle d'un grand cru. Cependant, ne noyez pas les poissons et les crustacés dans une mer d'huile ! Il faut l'employer en petites quantités, ainsi vous ne dénaturerez pas ce beau plateau marin.

Levez les filets de tous les poissons. Débitez-les en morceaux. Ouvrez les coquilles Saint-Jacques et prélevez les noix. Tranchez les cigales de mer en deux dans la longueur.

Coupez les deux poivrons en julienne. Mondez et épépinez les tomates et coupez-les en dés. Hachez l'échalote et quelques brins de ciboulette.

Faites le court-bouillon avec 1,5 l d'eau, ajoutez le thym, la badiane, le fenouil sec, les grains de poivre, le sel et portez à ébullition.

à la marseillaise

JEAN-MICHEL
MINGUELLA

Cuisson : 15 min

Préparez la vinaigrette avec le jus de citrons, 30 cl d'huile d'olive, 5 cl d'eau tiède. Salez et poivrez. Ajoutez quelques gouttes de Tabasco.

Mettez en cuisson tous les filets de poissons, Saint-Jacques, cigales et crevettes 2 min dans le court-bouillon. Égouttez le tout. Réservez.

Rassemblez harmonieusement dans chaque assiette les ingrédients marins. Mélangez la ciboulette, les échalotes, les poivrons, les tomates. Ajoutez la vinaigrette. Décorez avec des brins de ciboulette.

Soupes

4 personnes ★ **Préparation : 10 min**

1 tête d'ail
1 brin de thym
2 jaunes d'œufs
2 cuillères à soupe d'huile d'olive
Croûtons de pain rassis

Gros sel de Camargue
Sel
Poivre

Décoration :
Brins de ciboulette

Ce potage catalan traditionnel est très simple et très rapide à préparer. La même recette est aussi très prisée en Espagne. Vous consommerez cette soupe sans modération pendant les rudes mois de frimas, car elle est revigorante.

Depuis la nuit des temps, l'ail a été paré de toutes les vertus. À la fois légume, épice et aromate, ce bulbe agrémente toutes les recettes du Sud. Son berceau d'origine serait dans les steppes de l'Asie centrale. En catalan, l'ail s'écrit "all" comme en celtique, et dans cette langue, il signifie "brûlant". Hippocrate assurait qu'il était "chaud, laxatif et diurétique". Sa diffusion dans l'Europe médiévale est associée aux Croisés. Considéré comme une vraie panacée, il éloignait la peste, et même à l'occasion les vampires...

En général, l'ail est récolté en juillet et en août. Celui du sud de la France est réputé pour être le meilleur. Et c'est surtout en Provence et en Midi-Pyrénées, qu'il foisonne.

On distingue plusieurs variétés : le blanc, le gris et le rose. Tous sont très forts en goût. Dans notre recette, Jean Plouzennec le blanchit plusieurs fois pour atténuer sa puissante saveur.

À l'achat, le bulbe doit être ferme au toucher. Il doit aussi être bien sec. Sachez qu'une tête d'ail contient douze à seize gousses. Frais vous le conserverez dans le bac à légumes du réfrigérateur. En ce qui concerne l'ail de garde, vous l'entreposerez dans l'endroit le plus sec de votre cuisine.

Attention, ce condiment ne fait pas bon ménage avec l'humidité ! Elle risquerait de le faire germer ou moisir rapidement. Enfin lorsqu'une gousse est pelée et découpée, il faut s'en servir aussitôt, car elle s'oxyde rapidement et sa saveur se dénature. Afin de rendre l'ail plus digeste, n'oubliez pas en l'épluchant d'ôter "l'âme" : le germe vert ou blanc.

Épluchez la tête d'ail. Avec la pointe d'un petit couteau, ôtez soigneusement les germes verts des gousses, s'il y a lieu. Plongez l'ail dans une casserole remplie d'eau.

Portez à ébullition, une première fois, toutes les gousses d'ail. Changez l'eau. Portez-les à ébullition une seconde fois, afin que l'ail blanchisse. Salez. Égouttez les gousses d'ail.

Faites cuire une troisième fois l'ail pendant 10 à 15 min, dans 1 litre d'eau à peine salée, additionnée de thym. Vous retirerez la branche de thym au milieu de la cuisson, afin que son goût ne prédomine pas sur l'ail.

bullida

JEAN
PLOUZENNEC

Cuisson : 20 min

En fin de cuisson, mixez l'ail dans ce bouillon à même la casserole, à l'aide d'un mixeur plongeant. Remettez en cuisson 5 min à feu doux. Vérifiez l'assaisonnement.

Ajoutez dans la casserole les croûtons de pain rassis. Attendez que les croûtons soient bien détrempés.

Mixez le pain en surface. Ajoutez les jaunes d'œufs et les 2 c. à s. d'huile d'olive. Fouettez légèrement. Disposez sur la soupe quelques brins de ciboulette. Servez aussitôt.

Crème de courge, ciboulett

gourd

| 4 personnes | ★ | Préparation : 20 min |

250 g de pulpe de courge
1 oignon paille
1 gousse d'ail
1/2 citron
25 cl de fond blanc
25 cl de crème fraîche
1 noix de muscade

1 cuillère à soupe d'huile d'olive
Sel
Poivre

Décoration :
1 bottillon de ciboulette
1 cuillère à soupe d'huile d'olive

La crème de courge parfumée à la ciboulette et à l'huile d'olive est une recette idéale pour réconcilier les enfants avec la soupe. Très facile à réaliser, elle rappelle par sa douceur et ses couleurs l'arrière-pays provençal.

La courge est le nom générique du potiron, de la citrouille et du giraumon. Issus de la famille des cucurbitacées, ces légumes sont originaires d'Asie, d'Afrique et d'Amérique. Leur forme sphérique et volumineuse se caractérise par la couleur jaune ou rouge de leur écorce et de leur chair. C'est l'hiver qu'ils apparaissent sur les tables, transformés en soupe, en gratin, en purée ou même en tarte.

La courge de Provence à la peau marron est légèrement sucrée. Au moment de la cuisson, le chef conseille de la faire fondre doucement dans le fond blanc. Si la crème fraîche vous semble trop épaisse, n'hésitez pas à la mixer ou à la détendre avec un peu d'eau.

Pour que cette soupe conserve toute sa finesse, le chef insiste sur la cuisson des oignons : ils ne doivent surtout pas colorer. Cultivée depuis plus de 5000 ans, cette plante potagère de la famille des liliacées, est originaire du nord de l'Asie. Son bulbe est formé de feuilles blanches et charnues, recouvertes de fines pelures jaunes, brunes, rouges ou blanches. De toutes les variétés, Christian Étienne préfère l'oignon jaune paille. Il se reconnaît à sa couleur et à son aspect bien brillant.

Les petits râpés de muscade sont indispensables et irremplaçables pour relever le goût de la courge. La noix de ce fruit possède une saveur et un arôme fortement épicés.

La ciboulette, couramment désignée avec la ciboule sous le nom de fines herbes, a une saveur alliacée, plus fine et plus discrète que l'oignon. Elle s'utilise fraîche et finement ciselée.

Vous l'aurez compris : la réussite de cette recette passe avant tout par le respect de chaque ingrédient. Si l'un d'eux vient à manquer, la subtilité de la crème de courge perd sa delicatesse.

Épluchez l'oignon, émincez-le. Faites-le suer à blanc dans 1 c. à s. d'huile d'olive. Salez, poivrez.

Enlevez la barbe de la courge, épépinez-la et épluchez-la. Coupez-la en petits dés. Écrasez l'ail. Ajoutez les dés de courge et l'ail aux oignons en remuant bien.

Mouillez avec le fond blanc et laissez cuire à feu doux environ 15 min, en remuant régulièrement, jusqu'à évaporation.

...et huile d'olive

CHRISTIAN
ÉTIENNE

Cuisson : 40 min

Ajoutez la crème fraîche et mélangez. Laissez cuire à peu près 15 min. Rectifiez l'assaisonnement.

Passez la crème de courge au moulin à légumes pour qu'elle devienne bien lisse. Ajoutez 2 petits râpés de noix de muscade.

Dressez la soupe dans l'assiette en incorporant le jus de citron pour rehausser le goût et la ciboulette hachée. Décorez avec 1 filet d'huile d'olive.

ALAIN CARRO

Crème de petits poi

4 personnes ★ **Préparation : 30 min**

300 g de cuisses de grenouilles
2 oignons
2 gousses d'ail
100 g de petit salé (1 tranche)
1 petite laitue
1 bouquet de ciboulette
1 kg de petits pois frais à écosser
25 cl de vin blanc

60 g de beurre
Sel
Poivre
25 cl de crème fleurette

Chantilly
15 cl de crème fleurette
Cacao en poudre non sucré

Ce délicieux potage aurait pu être baptisé cappuccino de petits pois et cuisses de grenouille ! En référence au célèbre cappuccino italien, la crème est saupoudrée de cacao. Vous le dégusterez avec quelques amis bien choisis, car ce plat se destine aux initiés de la haute gastronomie, surtout si vous vous procurez des cuisses de grenouilles fraîches. Cependant, vous pouvez réalisez cette crème avec des cuisses congelées, mais la saveur sera moins prononcée. En revanche cela s'avèrera moins cher ! Décongelez-les dans du lait, ainsi elles seront plus tendres. Les plus savoureuses proviennent de la région des Dombes, du Lyonnais, ce sont des grenouilles vertes avec trois bandes sombres sur le dos.

À l'origine, la crème de petits pois s'appelait la Saint-Germain. La première cuisson se dénommait : à la française. Dans la première appellation de crème, il y avait des croûtons. Ici notre chef les a remplacés par des cuisses de grenouille. Si vous ne trouvez pas de petit salé, prenez une tranche de jambonneau.

Pour la laitue : n'utilisez que le vert des feuilles, les côtes (le blanc) sont quelque peu amères. Vous ajouterez au tout dernier moment des quenelles de Chantilly non sucrée. Pour bien la monter, prenez un gros fouet manuel ou un batteur électrique, de façon à bien l'aérer pour qu'elle monte vite. Mais ne la battez pas trop longtemps.

Pour réaliser les quenelles, munissez-vous d'une petite cuillère à dessert mouillée, prélevez dans la masse une portion de crème, façonnez-les avec une deuxième cuillère. Saupoudrez-les délicatement de cacao non sucré. Celui-ci par son amertume réveille le palais et vient bousculer la douceur des petits pois.

Préparez les grenouilles : coupez les pattes et le haut du dos à partir du bassin. Ne gardez que les "cuisses et les mollets". Faites revenir dans 40 g de beurre les cuisses avec un oignon émincé et l'ail. Cuisez à couvert 10 à 12 min.

Quand les cuisses de grenouille sont nacrées, déglacez avec le vin blanc et délayez avec la crème fleurette. Égouttez, réservez d'un côté les cuisses et conservez le jus de cuisson pour les petits pois.

Coupez des petits dés de petit salé de 1 cm. Faites revenir un 1 oignon haché dans 20 g de beurre, ajoutez le petit salé. Parallèlement, mixez la ciboulette avec 3 c. à s. d'eau pour obtenir un jus de ciboulette. Réservez-le.

et cuisses de grenouille

ALAIN
CARRO

Cuisson : 35 min

Dans la casserole du petit salé, ajoutez les petit pois, 10 feuilles de laitue ciselées. Cuisez 15 min à petit bouillon, jusqu'à ce que la laitue soit fondue.

Ajoutez le jus de cuisson des grenouilles dans les petits pois, laissez cuire pendant 7 min à feu doux. Mixez le tout. Ajoutez le jus de ciboulette. Passez à l'étamine. Le rendu doit être lisse. Salez, poivrez.

Récupérez les cuisses de grenouille, décortiquez-les et posez les petits morceaux de chairs au fond d'un bol. Versez la crème de petits pois dessus. Fouettez la crème fleurette jusqu'à l'obtention d'une Chantilly non sucrée. Dressez-la en quenelles et saupoudrez-les délicatement de cacao.

JEAN-MICHEL
MINGUELLA

La bouillabaisse

4 personnes ★ **Préparation : 20 min**

Red mullet, goat fish 3 rougets grondins de 200 g
3 vives de 200 g
1 kg de saint-pierre
800 g de baudroie
800 g de congre
2 chapons ou rascasses de 400 g
4 cigales de mer
1 kg de poissons de roche
2 oignons
4 gousses d'ail
1 cuillère à soupe de concentré de tomates
3 tomates
1 fagot de 100 g de fenouil sec
4 grosses pommes de terre
3 cuillères à soupe d'huile d'olive

3 doses de safran en poudre
2 piments oiseau
Sel, poivre

Croûtons :
1 baguette
5 gousses d'ail
2 cuillères à soupe d'huile d'olive

Rouille :
3 œufs
8 gousses d'ail
50 cl d'huile d'olive
Sel
Safran en poudre

"La bonne mère" qui surplombe l'antique ville de Marseille veille sur ses habitants et sur la bouillabaisse ! Désormais, cette spécialité de soupe de poissons est mondialement connue. Le mot bouillabaisse provient du nom _bouïa-baisso_ en provençal car jadis la soupe était d'abord portée à ébullition, avant que le feu soit baissé.

Autrefois, cette soupe était un simple plat de pêcheurs. Ils utilisaient de l'eau de mer bouillante pour la cuisiner. Elle se mitonnait avec les poissons impropres à la vente. Aujourd'hui, ce plat s'est ennobli pour devenir la spécialité du Miramar.

En outre, sa composition fait l'objet d'une charte, instaurée en 1980. Elle détermine exactement les poissons de la recette. Vous retrouverez la rascasse, le rouget grondin, dit aussi "galinette", la baudroie, le congre baptisé aussi fielas, la vive, le saint-pierre, le chapon, les cigales de mer. Choisissez-les selon l'arrivage. Jean-Michel Minguella préconise d'en utiliser six, cependant vous pouvez la réaliser avec quatre espèces.

Veillez constamment les poissons et ne les laissez pas trop longtemps dans la poissonnière, une fois le temps de cuisson écoulé. Pour que l'effet de magnificence de ce plat ait lieu, présentez tous les produits marins entiers à vos convives. Vous les partagerez à table.

En ce qui concerne l'incontournable rouille, elle se prépare d'abord comme une mayonnaise. Confectionnez-la au mixeur. Dès le début de l'opération, salez les jaunes d'œufs et ajoutez l'ail préalablement haché. Pour rattraper une mayonnaise capricieuse, qui ne voudrait pas monter, passez-la aussi au mixeur. Dès la mise en marche ajoutez un glaçon, l'émulsion prend comme par enchantement !

Si vous voulez enrichir cette délicieuse soupe pour la proposer lors des grands jours, vous l'agrémenterez d'une langouste. Sous cette déclinaison, vous la présenterez sous le noble nom de bouillabaisse royale !

Émincez les oignons, écrasez l'ail et faites revenir le tout dans 3 c. à s. d'huile d'olive. Découpez les 3 tomates en quartiers. Ajoutez 1 c. à s. de concentré de tomates, les morceaux de tomates, le fenouil sec, 2 doses de safran.

Ajoutez le kg de poissons de roche. Mouillez à hauteur avec de l'eau. Rajoutez 4 cm d'eau au-dessus du niveau des poissons. Salez. Cuisez pendant 20 min. Mixez la soupe de poissons de roche, filtrez. Remettez-la à cuire 10 min et réservez.

Épluchez et tranchez des rondelles de pommes de terre de 2 cm d'épaisseur. Ajoutez-les dans la soupe de poissons.

Cuisson : 1 h

Disposez tous les poissons suivant la grosseur (du plus gros au plus petit) : rougets,
vives, saint-pierre, baudroie, congre,
rascasse et cigales de mer sur les pommes de
terre dans le fond de la poissonnière.

Mouillez les poissons avec la soupe restante en les recouvrant. Rectifiez l'assaisonnement. Ajoutez le safran. Démarrez à feu vif
pendant les 5 premières min, puis baissez le
feu. Cuisez 30 min. Montez la rouille avec
3 jaunes d'œufs. Ajoutez le sel, l'ail haché,
l'huile d'olive en filet et le safran.

Découpez des croûtons de pain de 1 cm
d'épaisseur. Frottez-les d'ail cru et imbibez-
les avec les 2 c. à s. d'huile d'olive.
Enfournez à 220°C, 3 min. Posez 1 c. à c.
de rouille sur les croûtons. Servez la soupe,
dans des petites soupières et décorez de
croûtons. Servez les poissons à part.

JEAN-CLAUDE
VILA

L'ollada

4 personnes	★	Préparation : 30 min

200 g de talon de jambon sec
1/2 tête de porc
250 g de pommes de terre
1/4 de chou vert
1 grosse carotte
1 poireau

1/2 branche de céleri
80 g de haricots blancs secs
10 g de sagi
1 boudin noir
1 branche de thym
Sel
Poivre

Salvador Dali déclara un jour au sujet de la gare de Perpignan : *"Soudain, tout apparut avec la clarté de l'éclair, devant moi se trouvait le centre du monde"*. Le mythe était né. Le peintre, fidèle à ses déclarations provocatrices, aurait pu ajouter : celui qui ne connaît pas l'*ollada* ne peut comprendre le peuple catalan.

Cette soupe régionale tire son nom de l'*olla*, une grosse marmite à large ouverture dans laquelle elle cuit. Elle est uniquement composée de légumes et de morceaux de porc : queue, oreilles, museau, pieds ou encore jarret demi-sel. Notre chef, fidèle à la tradition culinaire de sa région, ne peut concevoir de modifier cette recette : *"Ce serait un peu une hérésie, même si certains font l'ollada en remplaçant le porc par du poisson, du congre et de la baudroie"*, souligne-t-il en souriant.

Parmi les ingrédients présents dans ce plat : le *sagi*. En catalan, ce mot désigne la panne de porc salée chaude puis roulée sur elle-même. Ce morceau est ensuite exposé à l'air libre pendant trois mois. De couleur blanche au début, le *sagi* change de teinte lorsqu'il rancit. Quand son aspect devient légèrement jaune, les Catalans l'utilisent alors pour son goût spécifique.

L'*ollada* peut ressembler par certains côtés à une potée. Le chou vert, mélangé à la viande de porc, apporte sa saveur particulière. Ce légume, connu en Europe depuis 4000 ans, se répandit surtout au Moyen Âge. Apprécié pour ses vertus médicinales, le chou trouva rapidement sa place dans l'alimentation où il constitua la base des soupes. Avant de le découper, rincez-le à l'eau vinaigrée. Le vinaigre blanc enlève les impuretés.

Quant aux haricots secs, n'oubliez pas de les faire tremper huit heures, avant de les mettre en cuisson.

L'*ollada* catalane est une soupe paysanne. Pour conserver ses origines, il est préférable de la présenter dans un plat rustique, comme le font les Catalans.

Flambez la demi-tête de porc pour enlever les poils. Ouvrez le bas de l'oreille pour ôter la membrane. Dans une casserole, mettez la tête et le talon de jambon. Mouillez à hauteur. Salez et poivrez légèrement. Laissez cuire 45 min.

Faites cuire les haricots blancs dans de l'eau salée avec la branche de thym pendant 40 min environ.

Épluchez la carotte. Lavez le céleri et le poireau. Enlevez les premières feuilles du chou et lavez-les. Coupez tous les légumes en gros dés.

catalane

JEAN-CLAUDE
VILA

Cuisson : 1 h 45

Trempage des haricots : 8 h

Dans la casserole, où cuisent le jambon et la tête de porc, ajoutez les légumes coupés. Égouttez les haricots blancs et ajoutez-les. Laissez cuire pendant 40 min.

Épluchez les pommes de terre et coupez-les en gros dés. Ajoutez-les à la cuisson.

Ajoutez le sagi et laissez cuire 20 min. Dressez dans un plat creux, le bouillon et la viande. Ajoutez les rondelles de boudin.

LAURENT
BROUSSIER

Minestrone aux pistes

4 personnes	★★	Préparation : 2 h

100 g de pistes (petits encornets)
20 g de cébette
20 g de ciboulette
100 g de petits macaroni
2 litres de fond blanc de volaille
Sel
Poivre

Légumes du minestrone :
100 g de petits pois

100 g de carottes
100 g de cocos blancs
100 g de haricots verts
100 g de chou-fleur
100 g de céleri branche
100 g de navets ronds
100 g de courgettes
100 g de fenouil
100 g de pommes de terre ratte
100 g d'oignons grelots
50 g d'échalotes
50 g de tomate confite

1 cuillère à soupe d'huile d'olive

Pistou :
3 gousses d'ail
6 feuilles de basilic
3 tomates séchées
20 g de pignons de pin
4 cuillères à soupe d'huile d'olive
Sel
Poivre

Bouquet garni :
Thym
Laurier
Persil

Rien de tel qu'un bon minestrone pour débuter un repas ! Cette soupe de légumes italienne est toujours enrichie de pâtes, ou parfois de riz. C'est la variété des légumes qui caractérise cet apprêt, très différent selon les régions. En Toscane par exemple, les haricots blancs sont indispensables. On le sert le plus souvent avec une tranche de pain parfumée d'huile d'olive et d'ail. Ailleurs, on l'accompagne de fromage râpé, d'une garniture d'ail et d'aromates.

Pour réaliser votre minestrone, choisissez des légumes bien fermes. Pensez à enlever les côtes filandreuses du céleri. Les cocos secs doivent tremper durant 8 h maximum, sinon ils deviennent nocifs pour la santé. Durant la cuisson de 15 min, ajoutez un bouquet garni et pour éviter qu'ils durcissent, ne salez pas l'eau.

Le minestrone, c'est aussi les pâtes. En forme de grands tubes de 5 à 6 mm de diamètre, les macaroni seraient d'origine arabe. Ils peuvent éventuellement être remplacés par

des penne, qu'il faut couper. Notre chef a eu l'idée d'ajouter des pistes dans cette soupe. Ce terme provençal désigne les petits supions de Méditerranée. Également appelé encornet ou calamar, ce mollusque est très apprécié par les gens du Sud. Si vous ne trouvez que des encornets, prenez-les petits. Après les avoir bien lavés, enlevez la peau. Taillez-les en petits dés comme les légumes. Pour qu'ils restent tendres, pensez bien lors de la cuisson à mettre beaucoup de bouchons de liège, sans faire bouillir l'eau.

Le pistou que l'on ajoute à la fin est un condiment de la cuisine provençale. Il est composé de basilic frais haché, de pignons, d'ail et parfois de tomates séchées. Il faut le travailler au mortier, l'assaisonner et le monter ensuite avec l'huile d'olive.

Le parmesan râpé et le riz sont facultatifs. Selon la saison, vous pouvez varier la saveur de votre minestrone en l'agrémentant de quelques cèpes.

Lavez, épluchez et taillez en petits dés courgettes, haricots verts, carottes, fenouil, céleri, oignons, navets, tomates confites, échalote et pommes de terre.

Dans 1 c. à s. d'huile d'olive, faites ensuite revenir sans colorer les dés d'oignons, d'échalote, de fenouil, de céleri et de carottes, pendant 3 à 4 min.

Ajoutez dans la casserole, fond de volaille et bouquet garni, ainsi que les navets, les cocos, le chou-fleur et les pommes de terre. Laissez cuire 25 min. 10 min avant la fin de la cuisson, ajoutez petits pois, haricots verts et tomates confites.

à la niçoise

LAURENT BROUSSIER

Cuisson : 40 min   **Trempage des cocos secs : 8 h**

Pendant ce temps, épluchez et lavez bien les pistes, pour qu'il ne reste plus de sable ni de pellicule de peau. Faites-les blanchir à l'eau froide, en plaçant dans la casserole des bouchons de liège. Laissez frémir 2 min environ.

Plongez les macaroni dans l'eau bouillante salée. Faites-les cuire "al dente". Égouttez-les. Découpez-les en tronçons de 1/2 cm environ.

Ajoutez dans le minestrone les pistes, les macaroni, la cébette et la ciboulette ciselées ainsi que le pistou préparé. Assaisonnez. Servez bien chaud.

Soupe d'épeautre

4 personnes ★ **Préparation : 30 min**

850 g de gigot de mouton
1 oignon doux
2 ou 3 clous de girofle
1 gousse d'ail
2 poireaux
1 côte de céleri
4 carottes
2 navets
150 g d'épeautre

16 croûtons de baguette
2 cuillères à soupe d'huile d'olive
1 branche de thym
1 feuille de laurier
Sel

Vinaigrette :
5 cl de vinaigre de vin rouge
10 cl d'huile d'olive

Cette soupe typique du Languedoc s'impose naturellement sur les tables familiales. Georges Rousset, notre Maître Cuisinier de France officie à Saint-Martin-de-Londres, dans la très chaude et odorante région du Languedoc-Roussillon. Il vous propose donc de réaliser ce plat campagnard et généreux avec la traditionnelle viande ovine du plateau des Causses.

À défaut de gigot de mouton, vous pouvez employer du jarret ou la partie musculaire maigre attenante au manche du gigot, appelée "souris". Autrefois, les morceaux qu'on réservait à ce genre de plat se composaient de quartiers impropres à la vente. Ils cuisaient longuement dans de grands chaudrons qui bouillotaient sur l'âtre, du soir jusqu'au matin.

Plutôt rustique dans ses apparences, notre plat se révèle finalement très léger. On le réalise avec de l'épeautre, un blé sauvage de couleur brune, qui s'apprête comme le riz. Cependant, à la différence de ce dernier,

l'épeautre exige un temps de cuisson assez long. Il était très consommée jadis dans les campagnes, notamment en Provence. Si cette graine est inconnue dans votre région, vous pouvez la remplacer par des grains de blé précuits. Ceux-ci présentent l'avantage de cuire très rapidement.

Vous souhaitez donner un aspect à votre bouillon ? Notre chef vous livre son astuce, que vous pourrez réutiliser dans d'autres recettes. Gardez l'oignon dans sa peau, et coupez-le en deux. Faites-le griller côté chair dans une poêle sèche, avant de le plonger dans le bouillon.

Il est impératif que ce bouillon ait une couleur claire. Pour faciliter le dégraissage, vous pouvez le laisser complètement refroidir. Ainsi, toute la matière grasse se figera en surface, et l'écumage sera facilité. Si vous avez le courage d'attendre le lendemain de sa préparation pour le consommer, la soupe sera bien meilleure !

Disposez le gigot dans une marmite. Mouillez avec 2,5 l d'eau froide, et portez à ébullition. Réduisez le feu, et maintenez une ébullition lente pendant 40 min.

Épluchez ensuite tous les légumes : poireaux, céleri, ail, puis carottes et navets entiers (gardez 1 cm de fanes). Rincez tous les légumes sauf l'ail. Éliminez son germe. Piquez l'oignon non épluché avec les clous de girofle.

Lorsque le gigot a cuit 40 min, ajoutez tous les légumes dans la marmite. Parfumez de thym et de laurier. Laissez bouillonner 10 min.

l'os de gigot

GEORGES
ROUSSET

Cuisson : 1 h 30

Ensuite, ajoutez les graines d'épeautre dans la soupe. Salez légèrement, et continuez la cuisson à feu doux, pendant 40 min.

En cours de cuisson, écumez régulièrement la soupe à l'aide d'une louche. Il faut baisser le feu pour mieux attraper les yeux de gras qui surnagent à la surface.

En fin de cuisson, faites dorer des croûtons de baguette à la poêle, dans un peu d'huile d'olive. Disposez légumes et viandes égouttés dans un plat de service et accompagnez-les d'une vinaigrette. Servez le bouillon d'épeautre à part, avec ses croûtons frits.

ANGEL
YAGUES

Soupe de moule

| 4 personnes | ★ | Préparation : 30 min |

2 kg de moules de Bouzigues
500 g de poissons de roche
50 cl de crème fraîche
1 poireau
1 oignon
1 carotte
3 gousses d'ail
25 cl de vin blanc
1,5 cuillère à café de pistils de safran

2 tranches de pain de campagne
6 cuillères à soupe d'huile d'olive
Sel
Poivre

Décoration :
Ciboulette
Safran en poudre

La soupe de moules de Bouzigues tire son nom d'un petit village languedocien, situé sur l'étang de Thau, aux portes de Sète. L'élevage sur corde de ces coquillages est propre à la Méditerranée. Déjà sous les Romains, on pratiquait dans la région le ramassage des moules et des huîtres sur les bancs naturels. Selon le marché, vous pouvez opter pour des moules de pleine mer, moins iodées.

Redoublez de vigilance lors du triage : les moules doivent être bien fermées et non desséchées. Cuisinez-les dans les 3 jours qui suivent l'expédition depuis le lieu de production. Éliminez celles dont les coquilles sont cassées ou entrouvertes. Avant de les cuisiner, ébarbez-les en les débarrassant de tous les filaments. Puis brossez-les sous l'eau courante.

Pour cette soupe, Angel Yagues vous propose d'arrêter leur cuisson deux minutes avant le temps prévu. Ainsi, elles finiront de cuire et refroidiront plus vite. Vous pourrez alors les décortiquer.

Les poissons de roche se composent de grondins, de rascasses et de vives. Il est inutile de vider les tout petits. Si vous avez des difficultés pour vous en procurer, demandez à votre poissonnier des arêtes de sole. Elles apporteront également du goût au fond de sauce.

Cette soupe de moules se marie idéalement au safran. Cette plante bulbeuse, dont les stigmates fournissent une épice renommée, en forme de filaments brunâtres séchés ou de poudre jaune orangé est en fait le nom usuel du crocus. Son épice est reconnaissable à son odeur piquante et à sa saveur amère. Le chef vous recommande pour la préparation, les pistils, plus parfumés, et pour la décoration la poudre.

La ciboulette peut être remplacée par du cerfeuil ou du persil en branches. Au moment de servir, placez l'assiette une minute au four pour réchauffer la soupe.

Lavez et ébarbez les moules. Mettez-les en cuisson avec le vin blanc en recouvrant la casserole pendant 5 min environ.

Décortiquez les moules et conservez à froid. Gardez le jus de cuisson. Préparez vos toasts en les faisant revenir dans 3 c. à s. d'huile d'olive jusqu'à coloration. Frottez-les avec l'ail et découpez-les.

Lavez et taillez la carotte, le poireau, l'ail et l'oignon en petits dés.

le Bouzigues

ANGEL YAGUES

Cuisson : 40 min

Faites-les suer avec 3 c. à s. d'huile d'olive pendant 5 min. Ajoutez les poissons de roche lavés et vidés.

Pour la confection de la soupe, passez au tamis le jus de moules pour enlever les impuretés. Mouillez avec ce jus les légumes et les poissons en ajoutant les pistils de safran. Salez et poivrez légèrement et laissez mijoter 20 min.

Passez au chinois et laissez réduire 5 min en remuant de temps en temps. Délayez avec la crème fraîche. Rectifiez l'assaisonnement. Dressez dans une assiette creuse les moules en couronne, nappées de soupe, en disposant un croûton frit au centre. Parsemez de safran et de ciboulette hachée.

DANIEL
ETTLINGER

Soupe de polent

4 personnes	★	Préparation : 40 min

12 gambas moyennes
50 g de polenta moyenne
1/2 oignon blanc
4 gousses d'ail
1 bottillon de cébette
50 cl de fond blanc de volaille
10 g de beurre
3 cuillères à soupe d'huile d'olive
1 pointe de piment d'Espelette
Sel

Décoration :
1/2 oignon
10 g de farine
Huile de friture
1 filet d'huile d'olive

En s'installant dans l'arrière-pays niçois, notre chef avoue s'être approprié les traditions culinaires méridionales. De ses origines alsaciennes, Daniel Ettlinger conserve pourtant la nostalgie des soupes de semoule que lui concoctait sa mère. Il a donc décidé de retranscrire une ancienne recette familiale en lui apportant les accents du Sud.

Cette soupe est un clin d'œil à l'Italie, toute proche. Le chef, ayant officié à Milan, utilise la célèbre polenta. Cette semoule de maïs, consommée généralement salée, se retrouve également dans de nombreux plats niçois. Au début de la préparation, elle doit se torréfier avec les oignons. Au moment de la cuisson, si la soupe de polenta vous semble trop épaisse, n'hésitez pas à la mouiller avec un peu d'eau.

Les oignons apportent à cette recette leur saveur particulière. Cultivée depuis plus de 5000 ans, cette plante potagère est originaire du nord de l'Asie. Son bulbe est formé de feuilles blanches et charnues, recouvertes de fines pelures jaunes, brunes, rouges ou blanches.

La soupe de polenta se marie idéalement aux gambas. À l'achat, elles doivent présenter un aspect brillant. Leur fraîcheur dépend de la forme plus ou moins recourbée de la carapace, la fermeté de la chair et la facilité du décorticage. Lors du poêlage, l'huile doit être très chaude. Selon le marché ou votre budget, vous pouvez remplacer les gambas par des langoustines, du homard ou de la langouste.

Pour cette création, une pointe de piment s'impose. Celui d'Espelette, originaire du Pays Basque, est idéal. Séché, il offre une régularité dans le goût évitant ainsi toute déconvenue. De couleur rouge, il se présente souvent entier, en poudre ou en pâte. Si vous optez pour une autre variété, redoublez de vigilance lors du dosage.

Cette soupe familiale prouve que la dégustation est un savoureux mélange de cultures…

Pour la décoration, épluchez l'oignon. Coupez une moitié en fines rouelles. Et farinez-les légèrement. Réservez. Lavez et émincez très finement le vert de cébette. Épluchez et émincez l'ail en lamelles.

Émincez l'autre moitié de l'oignon. Avec 2 c. à s. d'huile d'olive et une noisette de beurre, faites revenir en remuant avec une spatule en bois jusqu'à coloration.

Ajoutez la polenta en remuant bien pendant 5 min pour qu'elle se torréfie. Salez.

Cuisson : 20 min

Mouillez avec le fond blanc et laissez cuire pendant 20 min. Réservez au chaud. Faites frire les rouelles d'oignon farinées. Enlevez-les avec une écumoire et posez-les sur du papier absorbant.

Décortiquez les gambas en enlevant la tête. Avec les doigts, enlevez les anneaux successifs de la carapace. Entre le pouce et l'index, fendez le dos pour ôter l'intestin.

Poêlez avec 1 c. à s. d'huile d'olive les gambas environ 3 min selon leur grosseur. Ajoutez la cébette et l'ail émincés. Assaisonnez avec une pointe de piment. Disposez les gambas dans l'assiette, versez 2 louches de soupe et décorez avec les oignons frits et un filet d'huile d'olive.

FRANCIS
ROBIN

Soupe au pistou

| 4 personnes | ★★ | Préparation : 50 min |

200 g de courgettes
200 g de haricots verts
100 g de haricots rouges
100 g de haricots blancs
100 g de pommes de terre
150 g de carottes
1 oignon
1 gousse d'ail
2 tomates
Sel, poivre

Bouquet garni :
Thym
Laurier

Queues de persil
2 feuilles de poireau

Pistou :
50 g d'ail (ou 1/2 tête)
4 cuillères à soupe
d'huile d'olive
1 bouquet de basilic
1 tomate

**Croustillants
d'aubergines :**
2 aubergines
4 gousses d'ail

2 feuilles de brick
7 cuillères à soupe
d'huile d'olive

Mousse de tomates :
2 tomates
1 oignon
2 gousses d'ail
2 feuilles de gélatine
2 cuillères à soupe
d'huile d'olive
25 cl de crème fraîche
liquide

Cette soupe est un classique de la cuisine méridionale. Traditionnellement, elle est consommée chaude. Cependant, vous serez agréablement surpris par la recette de Francis Robin, car il suggère de la déguster froide. Il est très important que tous les légumes proposés par notre chef soient présents, sinon ce n'est plus une soupe au pistou ! Veillez bien à découper les légumes de la même taille, pour que la cuisson s'opère uniformément.

Choisissez des haricots blancs et rouges de la variété "coco", que l'on trouve de juin à septembre dans le sud-est de la France et en Italie. Faites-les tremper séparément, si possible une nuit, ou au minimum deux heures. Ils cuiront ensuite plus rapidement. Lorsque vous les préparerez, ne salez surtout pas l'eau au démarrage : ils durciraient et leur cuisson risquerait d'être imparfaite. Vous rectifierez l'assaisonnement lorsqu'ils seront déjà bien tendres. En ce qui concerne les autres légumes, privilégiez des courgettes et des carottes jeunes et fermes, car elles sont plus goûteuses.

Lorsqu'il est broyé, le basilic prend en provençal le nom de pistou. Sortez-le du réfrigérateur au dernier moment, car il est très fragile ! En outre, ne le lavez pas car il perdrait son parfum puissant et délicat.

Les deux feuilles de gélatine assureront à la mousse de tomates une texture finale parfaite. Faites-les ramollir préalablement dans de l'eau tiède, avant de les faire fondre dans l'huile d'olive chaude. Si vous voulez obtenir une mousse plus rouge, encore plus alléchante, rehaussez-la d'une cuillère à soupe de concentré de tomates. Il vaut mieux cependant, choisir de belles tomates d'été telles que la "roma" ou des tomates en grappe.

Les croustillants d'aubergines doivent être disposés en dernier sur la soupe après avoir un peu refroidi. Vous éviterez ainsi qu'ils ne détrempent trop vite.

Mondez et épépinez toutes les tomates de la recette. Détaillez en brunoise uniforme tomates, carottes, pommes de terre, haricots verts et courgettes. Si les haricots sont trop gros, coupez-les en 2. Faites préchauffer le four à 200°C.

Chauffez 2 litres d'eau avec l'oignon, l'ail et le bouquet garni. Ajoutez les haricots rouges et blancs, faites cuire 20 min, puis versez tous les légumes : carottes, pommes-de-terres, courgettes, et les tomates en dernier. Cuisez 20 min à feu doux. Salez, poivrez.

Pour le caviar d'aubergines, disposez dans un plat 4 gousses d'ail en chemise et 2 aubergines coupées en 2, striées au couteau. Arrosez de 4 c. à s. d'huile d'olive. Enfournez 25 min. Prélevez la pulpe, mixez-la avec la chair d'ail. Ajoutez 2 c. à s. d'huile d'olive. Salez et poivrez.

Cuisson : 50 min

Trempage des haricots : 12 h

Pour le pistou, mixez l'ail épluché, le basilic, la tomate mondée et épépinée et l'huile d'olive. Salez et poivrez. Hors du feu, liez la soupe avec ce pistou. Montez la crème fraîche en Chantilly (non sucrée). Réservez-la. Ramollissez la gélatine à l'eau tiède.

Pour les croustillants d'aubergines, découpez 8 disques dans les feuilles de brick, de 6-8 cm de diamètre. Huilez la plaque du four. Posez 1 c. à s. de caviar d'aubergines sur 4 disques, et recouvrez-les d'un autre disque. Scellez les bords. Enfournez à 200°C pendant 10 min.

Faites revenir à l'huile tomates concassées, oignon émincé et ail pilé. Mixez. Ajoutez la gélatine ramollie à l'huile chaude, puis incorporez la crème fouettée. Versez la soupe dans chaque assiette, et décorez chacune d'un croustillant garni de mousse de tomates et de basilic.

JOËL
GARAULT

Soupette de brocolis e

4 personnes ★ **Préparation : 25 min**

4 langoustines de 100 g pièce
10 g de sésame
6 huîtres creuses n°2 de Bouzigues
1 échalote
800 g de têtes de brocolis
1 oignon blanc
1 gousse d'ail
50 cl de fond blanc

300 g de chou blanc ou vert
200 g de chanterelles jaunes
10 cl d'huile d'olive
Sel
Poivre

Décoration :
1 cuillère à soupe de crème fraîche liquide
12 sommités de brocolis

La soupette de brocolis et ballotin de chou blanc est une recette d'hiver par excellence. Dans ce plat, la présence des chanterelles jaunes confirme l'arrivée des premières neiges dans l'arrière-pays niçois. Quant aux huîtres, elles apportent leur saveur tonique et iodée.

Le chou blanc, utilisé dans cette recette, est un peu plus difficile à préparer que le vert. Après avoir coupé le fond, effeuillez-le délicatement. Coupez les feuilles en deux dans le sens de la longueur et enlevez la nervure. N'oubliez pas de les rafraîchir dans l'eau glacée et de les égoutter dans du papier absorbant.

Si vous optez pour le chou vert, utilisez les feuilles les plus claires. Aplatissez-les ensuite entre deux morceaux de papier-film pour qu'elles deviennent bien transparentes.

Le brocoli est une variété de chou-fleur, par lequel il peut être remplacé. Cultivé avec ses pousses florales, charnues et longues d'une quinzaine de centimètres, le brocoli, une fois débarrassé de ses feuilles, se consomme comme les asperges ou en accompagnement de viande.

Évitez de trop poivrer la cuisson de la soupe. Les légumes verts ont tendance à absorber le poivre.

Ce conseil est également valable pour le salage. Les huîtres de Bouzigues sont particulièrement iodées. Ces coquillages fragiles doivent être conservés dans un endroit frais et aéré, à l'abri du soleil, à une température comprise entre 5°C et 15°C.

Quant aux langoustines, elles doivent être brillantes, l'œil bien noir. Au poêlage, les graines de sésame apportent un goût nuancé de noisette et d'amande. À défaut, vous pouvez les remplacer par de l'épeautre, une variété de blé.

Selon le marché, notre chef vous suggère comme champignons des cèpes, trompettes-de-la-mort ou encore des girolles.

La soupette de brocolis et ballotin de chou blanc est une recette originale. Dans les assiettes chaudes où le vert domine, la pointe de crème fouettée en fondant doucement rappelle l'arrivée de l'hiver.

Décortiquez les langoustines et placez un pique en bois à l'intérieur du corps. Roulez-les dans le sésame et faites-les sauter à feu moyen, avec 1 c. à s. d'huile d'olive, 2 min de chaque côté. Salez, poivrez. Ôtez les piques et réservez.

Ouvrez les huîtres et versez leur eau dans un récipient. Faites-les cuire jusqu'à ébullition. Détachez toutes les têtes de brocolis. Faites cuire 12 sommités à l'eau salée, 5 min, rafraîchissez-les, égouttez-les et réservez pour la décoration.

Dans une cocotte, mettez en cuisson avec 1 c. à s. d'huile d'olive, les têtes restantes de brocolis, l'ail, l'échalote et l'oignon émincés. Mouillez avec le fond blanc et 50 cl d'eau. Salez, poivrez. Faites cuire à grande ébullition environ 15 min. Mixez la soupette.

ballotin de chou blanc

JOËL
GARAULT

Cuisson : 35 min

Lavez, égouttez et équeutez les chanterelles. Poêlez-les avec 1 c. à s. d'huile d'olive. Déglacez avec le jus des huîtres en incorporant 2 huîtres. Salez, poivrez. Effeuillez le chou et faites blanchir les feuilles coupées en 2, pendant 6 min dans l'eau salée. Égouttez-les.

Réalisez 4 ballotins en étalant à plat les carrés de feuilles de chou, sur du papier-film. Garnissez-les avec les champignons et 1 huître. Fermez les ballotins en les enveloppant du papier-film. Faites-les chauffer 5 min à la vapeur.

Versez la soupe dans l'assiette. Posez au centre le ballotin de chou, de chaque côté les langoustines, placez 3 sommités de brocolis et une quenelle de crème montée.

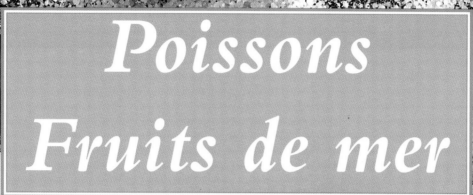

Poissons
Fruits de mer

4 personnes ★ **Préparation : 40 min**

1 baudroie de 1,2 kg
500 g d'encornets
50 cl de crème fraîche
2 gousses d'ail
1 bouquet de persil

10 cl de vin blanc
3 cuillères à soupe d'huile d'olive
50 g de farine
Sel
Poivre

La baudroie aux encornets est une spécialité sétoise. Ce poisson de Méditerranée est aussi appelé lotte de mer. La baudroie, malgré son aspect disgracieux, est très appréciée dans le Sud de la France pour sa chair. Sa tête énorme est dotée d'une large gueule terminant un corps brunâtre et sans écailles qui peut atteindre 1 mètre de long ! Ce poisson est généralement accompagné d'un aïoli.

Pour cette recette, le chef a préféré une sauce crémée à l'ail. Il conseille de préparer ce plat à l'avance. En effet, il est meilleur réchauffé. Prenez soin de bien peler la baudroie à l'aide d'une paire de ciseaux. Sinon au moment du poêlage, sa chair risque de se recroqueviller. Selon l'arrivage, vous pouvez la remplacer par de l'anguille, difficile à peler. Surtout n'hésitez pas à demander à votre poissonnier de vous préparer les poissons. Afin d'éviter que les médaillons ne collent, farinez-les juste avant de les frire.

Les encornets, aussi appelés calmars ou calamars, chipirons ou supions, doivent être découpés très fins. Selon leur grosseur, modulez légèrement le temps de cuisson. Vous pouvez réaliser ce plat en remplaçant les encornets par des moules. Il faudra alors les faires cuire pour qu'elles s'ouvrent. Ce n'est qu'au dernier moment, que vous les incorporerez à la sauce, sans les ailler.

Dans cette recette de poisson, l'ail est à l'honneur. Originaire d'Asie centrale, cette plante à bulbe de la famille des liliacées est connue pour ses vertus curatives. Hippocrate le classait parmi les médicaments sudorifiques.

La baudroie aux encornets peut être accompagnée d'une portion de riz. Au moment de dresser l'assiette, laissez parler votre côté artiste : dessinez une fleur en plaçant les encornets au centre et disposez la baudroie en pétales. Nappez de sauce chaque médaillon, en ajoutant selon votre humeur une pointe de persil haché.

Nettoyez la baudroie et entaillez la première peau avec des ciseaux. Enlevez les autres peaux. Ôtez les nageoires dorsale et ventrale en les coupant à contresens ainsi que la queue.

Avec les ciseaux, entaillez les encornets en 2. Coupez les tentacules sans oublier de retirer le bec. Rincez. Coupez les encornets et les tentacules en fines lamelles.

Faites revenir les encornets dans une cocotte avec 1 c. à s. d'huile d'olive pendant 5 min. Assaisonnez et faites-les légèrement caraméliser.

ANGEL
YAGUES

Cuisson : 20 min

Ajoutez l'ail et le persil hachés dans la préparation des encornets.

Coupez la baudroie en tranches de 1 cm d'épaisseur. Farinez et faites cuire avec 2 c. à s. d'huile d'olive pendant 5 min de chaque côté. Assaisonnez.

Enlevez l'huile de cuisson et grattez les sucs. Déglacez au vin blanc. Ajoutez la crème et 1/4 des encornets, laissez cuire pendant 10 min. Rectifiez l'assaison-nement. Dressez votre assiette avec les tranches de baudroie, la sauce et les encornets.

4 personnes   ★   **Préparation : 30 min**

1 kg de supions
4 pommes de terre
25 cl de fumet de poisson
25 cl de crème fraîche liquide
1 cuillère à soupe d'huile d'olive
Pistils de safran
Sel
Poivre

Sofregit :
1 gousse d'ail
1 oignon
50 g de sagi (lard rance catalan)

Aïoli :
1 jaune d'œuf
1 gousse d'ail
6 cuillères à soupe d'huile d'olive
Sel

Bien amarrés, les bateaux des pêcheurs catalans oscillent au gré de l'onde limpide et transparente de la Méditerranée. Nous sommes à Port-Vendres... La pêche a été bonne et tout a été vendu. Il ne reste plus à préparer que les petits calamars ou "supions". Les pêcheurs catalans font alors crépiter le fameux *sagi*, lard rance et blanc, qui donne un goût de noisette aux plats, et en particulier à la traditionnelle *bullinada* de supions. Cependant dans notre recette, vous pouvez le remplacer par du lard gras, bien plus commun, ou même par une bonne huile d'olive.

Ce plat proposé par Jean Plouzennec peut aussi être dégustée en entrée chaude . Augmentez alors la portion de supions. S'ils venaient à manquer sur les étals de votre poissonnier, remplacez-les par des anneaux de calamars. Quant au *sofregit*, base de la gastronomie catalane, il structure la quasi totalité des plats, avec des oignons dorés et parfois de la tomate. Cependant, les ingrédients diffèrent d'une famille catalane à l'autre.

La *bullinada* de supions est servie avec le fameux aïoli, puissamment agrémenté d'ail. C'est l'une des vedettes de la gastronomie du Sud de la France. Pour que son émulsion réussisse, tous les ingrédients doivent être à la même température. Selon notre chef, il faut toujours saler au début de la préparation.

L'aïoli requiert le meilleur ail que vous puissiez trouver. Le blanc ou le rose parfumera fortement votre apprêt, pourvu qu'il soit jeune, débarrassé de son germe et bien écrasé. Ici, l'ail rôti et donc ramolli, devient plus facile à travailler.

Quant à l'huile d'olive qui émulsionne notre spécialité, préférez-la très parfumée et assez dense, le goût de l'aïoli n'en sera que meilleur ! Nous serons moins pointilleux quant au choix des pommes de terre qui accompagnent la *bullinada*, cependant préférez-les à chair ferme.

Préparez le sofregit : épluchez et hachez finement l'oignon et l'ail. Lorsque le sagi est à demi fondu dans une cocotte, faites blondir le hachis d'oignons et d'ail. Prélevez le morceau de sagi non fondu pour l'étape suivante.

Épluchez les pommes de terre, découpez-les en rondelles de 3 mm d'épaisseur. Plongez-les dans une casserole d'eau salée avec le morceau de sagi cuit, une dizaine de pistils de safran et du sel. Faites cuire 15 min. Réservez 1 c. à s. de jus de cuisson des pommes de terre.

Nettoyez et essorez les supions. Récupérez les tentacules. Faites raidir supions et tentacules à la poêle dans 1 c. à s. d'huile d'olive, pendant 2 min jusqu'à ce qu'ils aient bien rendu leur eau et qu'ils soient dorés.

upions au sagi

JEAN
PLOUZENNEC

Cuisson : 1 h 15

Versez les supions rissolés dans la cocotte contenant le sofregit. Mouillez avec le fumet de poisson et parsemez de safran. Portez à ébullition. Au premier bouillon, ajoutez la crème fraîche. Portez de nouveau à ébullition. Laissez mijoter 45 min.

Pour l'aïoli, faites rôtir une gousse d'ail au four, épluchez-la, puis écrasez-la avec le sel et le jaune d'œuf. Fouettez comme pour une mayonnaise, en ajoutant peu à peu 6 c. à s. d'huile d'olive, et 1 c. à s. de jus de pommes de terre tiède.

Ajoutez l'aïoli à la cuisson des supions, et remuez pour obtenir un mélange homogène. Réajustez l'assaisonnement. Dressez une couronne de pommes de terre, versez la bullinada de supions au milieu et servez sans attendre.

ALAIN
CARRO

Daurade rôtie au

4 personnes ★ **Préparation : 30 min**

1 daurade royale de 1 kg
2 gros oignons nouveaux
3 gousses d'ail
1 branche de fenouil
15 cl de vin blanc sec
4 tomates
8 pommes de terre nouvelles moyennes

2 citrons
1 cuillère à soupe de fleur de thym frais
2 feuilles de laurier
7 cuillères à soupe d'huile d'olive
Sel
Poivre

Voilà un plat familial que l'on retrouve très souvent dans les menus dominicaux. C'est sans doute une des plus simples recettes de poisson. Pour faciliter sa préparation, demandez à votre poissonnier de vous écailler, d'ébarber et de vider votre majestueuse daurade. Celle-ci est facilement identifiable, grâce à sa bande claire située au dessus de la mâchoire, ce qui lui vaut le qualificatif de royale.

Le poisson de notre recette est saisonnier. Vous le trouverez de mars à octobre sur les étals des marchés. Si ce noble animal venait à manquer remplacez-le soit par un pageot rose ou un bar.

L'œil de la daurade doit être vif et ses ouïes bien rouges, ces indices sont une garantie de fraîcheur. Attention ! Ne la cuisez pas trop longtemps, elle deviendrait sèche. Avis aux gourmands ! Ce plat est meilleur le lendemain, la pomme de terre s'est gorgée de tous les sucs du plat pour le ravissement des papilles. Celles-ci seront fondantes à souhait….

Pour cette recette, nous avons préféré prendre des pommes de terres nouvelles, qui supportent bien la cuisson au four. Mais vous pouvez les remplacer par une autre variété, comme la roseval par exemple. Il est important de bien couvrir le poisson jusqu'à la queue, pour éviter qu'elle ne brûle.

Cette somptueuse daurade est très facile à servir et à déguster, elle n'a pas trop d'arêtes. Les novices de la cuisine prendront un réel plaisir à confectioner cette recette, elle est si simple que l'on ne peut la rater ! Le rouge des tomates et le jaune des tranches de citron suffisent pour la décoration, le clou du spectacle reste le poisson !

Faites revenir des rondelles d'oignons et des lamelles d'ail dans 2 c. à s. d'huile d'olive. Celles-ci doivent être un peu colorées. Disposez le tout au fond du plat allant au four.

Éventrez la daurade, farcissez-la d'une belle branche de fenouil frais ou sec. Ajoutez 1 c. à s. d'huile d'olive sur tout le poisson.

Faites sauter à l'huile d'olive les rondelles de 5 mm d'épaisseur de pommes de terre avec 1 c. à s. de fleur de thym et 2 feuilles de laurier. Salez.

égumes à la provençale

ALAIN CARRO

Cuisson : 40 min

Disposez dans le fond d'un plat les oignons, l'ail et les pommes de terre. Puis recouvrez de rondelles de tomates fraîches de 5 mm d'épaisseur et de tranches de citrons frais.

Posez la daurade, ajoutez en alternant rondelles très fines de tomates fraîches et citrons frais, sur toute la longueur du poisson. Assaisonnez de sel et de poivre. Arrosez de 2 c. à s. d'huile d'olive.

Arrosez avec le vin blanc. Enfournez pendant 30 min, au four préchauffé à 200°C. Couvrez d'une feuille d'aluminium et arrosez avec le jus de cuisson toutes les 5 min. Servez chaud dans le plat de service.

107

4 personnes ★★ **Préparation : 50 min**

4 filets de denti de 170 g pièce
20 cl de fond blanc de volaille
1 badiane étoilée
1 paquet de fenouil sec
500 g d'aubergines
20 g de pignons de pin
150 g de polenta
15 cl de lait
100 g de cèpes
1 gousse d'ail
1 branche de persil plat
4 tomates de 60 g
30 cl d'huile d'olive
Sel, poivre

Ratatouille :
1 aubergine
1 courgette
1 poivron rouge
1/2 poivron vert
2 tomates
1 branche de basilic (facultatif)
5 cl d'huile d'olive
Sel, poivre

Décoration :
Branches de fenouil sec

Ce plat de poisson porte le nom du prestigieux restaurant créé par Joël Garault, le 15 avril 1999. Un an plus tard, Le Vistamar, situé dans l'enceinte de l'hôtel Hermitage, recevait sa première étoile, décernée par le prestigieux guide Michelin. Ouvert sur l'une des plus belles terrasses de Monte-Carlo, cet établissement, à l'ambiance décontractée, propose une carte essentiellement tournée vers les produits de la mer.

Le dos de denti du Vistamar est un des plats phares proposés par notre chef. Élaboré par ses soins, il l'a fait évoluer en personnalisant les origines rustiques de cette recette. Cuit sur un lit de fenouil, arrosé d'un jus de volaille anisé, le denti dévoile sa chair délicate. Avant le poêlage, incisez la peau et faites revenir les filets côté chair. Selon l'arrivage, vous pouvez le remplacer par une dorade rose ou un saint-pierre.

Nous vous conseillons vivement de confectionner la polenta la veille. Pour éviter les grumeaux, versez-la dans le lait hors du feu. Pour terminer la cuisson, notre chef vous conseille d'ajouter un filet d'huile d'olive.

Attention, si vous utilisez de la polenta "minute", le temps de cuisson ne doit pas excéder trois minutes. Cette semoule de maïs peut être remplacée par de la farine de pois chiches.

Préparez les cèpes avant la polenta. Attendez l'évaporation complète de leur eau pour ajouter l'ail et le persil. Selon la saison, vous pouvez choisir girolles, grisets ou pleurotes.

La ratatouille est un ragoût de légumes, typique de la cuisine provençale. Pour cette recette, où le jus de volaille est anisé, Joël Garault n'a pas retenu les oignons. En revanche, l'aubergine est omniprésente. À l'achat, sa peau doit être lisse, bien tendue, brillante et sans taches.

Le dos de denti du Vistamar est un plat raffiné. Notre chef vous propose de disposer sur le haut de l'assiette, le cannelloni, la tomate et la polenta. Placez ensuite le denti et versez un cordon de sauce. Décorez avec une branche de fenouil sec.

Pelez 1 aubergine dans le sens de la longueur et découpez 4 tranches. Poêlez-les avec 20 cl d'huile d'olive. Épongez-les. Coupez les autres aubergines en 2, incisez la chair, assaisonnez et arrosez-les chacune avec 1 c. à s. d'huile d'olive. Cuisez au four 45 min, à 160°C.

Essuyez les cèpes et coupez-les en petits dés. Poêlez-les avec 1 c. à s. d'huile d'olive, l'ail et le persil hachés. Salez, poivrez. Portez à ébullition le lait et 10 cl d'eau. Versez la polenta hors du feu. Faites cuire 15 min en ajoutant en cours de cuisson les cèpes. Laissez reposer.

À l'aide d'une cuillère, pelez la chair des aubergines et ajoutez les pignons grillés concassés. Rectifiez l'assaisonnement. Réalisez les cannelloni en enroulant avec une spatule, le concassé dans les tranches d'aubergines légèrement frites.

JOËL
GARAULT

Cuisson : 55 min

Repos de la polenta : 12 h

Démoulez la polenta. Coupez 4 tranches et poêlez-les avec 1 c. à s. d'huile d'olive. Réservez.

Préparez la ratatouille en coupant en petits dés tous les légumes. Faites-les revenir, 15 min, avec 5 cl d'huile d'olive. Salez, poivrez. Lavez les 4 tomates de 60 g, enlevez le pédoncule, coupez le chapeau et évidez-les.

Garnissez les tomates avec la ratatouille. Replacez les chapeaux, arrosez d'1 filet d'huile d'olive, salez. Mettez au four 15 min, à 160°C. Salez et poivrez les filets de denti. Saisissez-les avec 1 c. à s. d'huile d'olive. Placez-les sur le fenouil avec le fond blanc anisé, enfournez 8 min à 160°C.

**ANGEL
YAGUES**

Dos de loup grillé

4 personnes ★ **Préparation : 40 min**

1 loup de 1 kg environ
15 petites carottes fanes
2 courgettes
1 cuillère à soupe d'huile d'olive
Sel
Poivre

Fumet de poisson :
1 poireau
L'arête centrale et la tête du loup
3 cuillères à soupe d'huile d'olive
1 brindille de thym

1 feuille de laurier
1 oignon
10 cl de vin blanc
1 bottillon de persil
30 g de grains d'anis vert

Sabayon :
3 œufs
10 cl de crème fraîche liquide

Décoration :
1 botte de cerfeuil

Le loup de Méditerranée appartient à la famille des serranidés. Ce poisson très apprécié est aussi connu sous le nom de bar. Sur les côtes provençales, sa férocité légendaire lui a valu ce surnom imagé. Vous pouvez faire lever les filets par votre poissonnier. Pour la confection du fumet, demandez lui de mettre de côté les arêtes et la tête sans les ouïes. N'oubliez pas de bien les laver pour enlever les parties sanguinolentes. Surtout ne salez pas. Selon l'arrivage, vous pouvez remplacer le loup par de la daurade royale, plus fine que la rose, ou du saint-pierre.

Le sabayon est un entremets d'origine italienne. Pour cette recette, il se sert chaud. Le chef conseille de le fouetter au coin du feu pour éviter les grumeaux. Pour que le sabayon reste moelleux, crémez-le à la fin. Émulsionnez-le au mixeur et tamisez pour enlever les grains d'anis. Au moment de servir, disposez le sabayon en fine couche dans l'assiette, puis passez-la au four en position gril, pendant deux minutes à 250°C. Ainsi, la sauce se colorera légèrement.

L'anis apporte tout son arôme à ce plat. Originaire d'Orient, cette plante aromatique, de la famille des ombellifères, était considérée dans la Chine ancienne comme une herbe sacrée. Les Romains l'appréciaient aussi. En Europe, les grains d'anis vert ont très tôt été utilisés en boulangerie pour les *bretzels*. Le fenouil en branche peut très bien les remplacer.

Le chef recommande de faire cuire les carottes avant les courgettes. Passez ensuite les légumes sous l'eau froide pour qu'ils conservent une jolie couleur. Avec les parures, vous pouvez confectionner un potage.

Utilisez de préférence une poêle cannelée pour marquer la peau des filets de loup en forme de croisillon. Ce plat peut être accompagné de pommes de terre vapeur. Lorsque vous dresserez l'assiette, ajoutez sur la sauce chaude, le poisson grillé, les légumes et décorez avec les pluches de cerfeuil.

Levez les filets de loup en découpant avec un couteau à filet de sole au niveau de la tête jusqu'à l'arête centrale. Entaillez tout le long en suivant l'arête dorsale. Transpercez de part en part au niveau du bas du ventre jusqu'à la queue. Passez le couteau sous la peau pour décoller les chairs.

Confectionnez le fumet avec l'arête, la tête du loup et l'huile d'olive. Ajoutez le poireau et l'oignon émincés, le persil, le thym et le laurier. Laissez mijoter 10 min. Versez le vin blanc et laissez cuire à peu près 10 min. Ajoutez l'anis vert.

Escalopez les filets en tranches égales, en commençant par la queue du poisson. Réservez au frais. Tournez les carottes et les courgettes en forme ovale, et laissez cuire 5 min dans de l'eau bouillante salée.

abayon d'anis vert

ANGEL
YAGUES

Cuisson : 30 min

Tamisez le fumet et incorporez les jaunes d'œufs dedans.

Montez les jaunes d'œufs en sabayon en les fouettant énergiquement pour les faire mousser.

Ajoutez la crème fraîche. Rectifiez l'assaisonnement. Mixez à grande vitesse pour émulsionner le sabayon. Tamisez. Grillez les escalopes avec 1 c. à s. d'huile d'olive pendant 5 min. Salez. Dressez ensuite votre assiette avec le sabayon, le loup grillé et les légumes. Décorez avec le cerfeuil.

JEAN-CLAUDE
VILA

Fideus à l'encre de seich

4 personnes   ★★   **Préparation : 45 min**

300 g de fideus (gros vermicelles)
1 seiche de 500 g avec son encre
4 grosses langoustines
1 oignon tendre
1 oignon
1 pomme de terre
1 petit poireau
2 gousses d'ail
1 branche de thym
1 feuille de laurier
Huile de friture
1 cuillère à soupe d'huile d'olive
Sel

Sauce crabe :
6 petits crabes d'étang
10 cl de vin de Banyuls
1 oignon blanc
3 gousses d'ail
1 branche de thym
100 g de beurre
3 cuillères à soupe d'huile d'olive
Sel
Poivre

Les *fideus* à l'encre de seiche et langoustines sont une spécialité des cités balnéaires de Collioure et de Port-Vendre. Cette recette, du littoral roussillonnais, se préparait à l'origine dans une grosse marmite où les seiches étaient mises en cuisson, pendant une heure et demie avec le thym, le laurier, l'oignon. Les pêcheurs ajoutaient ensuite dans le bouillon les *fideus*, des vermicelles catalans. Commercialisés surtout dans la région, vous pouvez les substituer par des spaghetti n°2 ou n°3 en les coupant en gros morceaux.

La seiche, présente dans les fonds côtiers de la Méditerranée, est un animal marin de 30 cm de long environ. Selon les régions, elle est surnommée supion, sépia ou margate. Son encre sert à la préparation de nombreux plats. Selon l'arrivage, vous pouvez remplacer la seiche par un calamar ou un poulpe. Si vous optez pour ce dernier, il est indispensable de le battre pour le rendre moelleux. Quant à l'encre de la seiche, vous pouvez vous la procurer en sachet sous vide dans le commerce.

Les langoustines apportent à ce plat traditionnel une touche de raffinement. Cet excellent crustacé, à la carapace rose, se retrouve sur les étals du mois d'avril au mois d'août. Quand vous les décortiquerez, prenez soin de conserver la tête avec les pinces. Notre chef les utilise pour la décoration. Enlevez l'intestin situé sur la partie dorsale. À l'aide d'un petit couteau, entaillez légèrement le ventre pour faciliter le poêlage. Le corps de la langoustine a souvent tendance à se rétracter. Pour qu'il conserve son bel aspect, placez un pique en bois à l'intérieur et retirez-le au moment de dresser l'assiette. À défaut de langoustines, vous pouvez opter pour des gambas. Quant aux crabes d'étang, utilisés pour confectionner la sauce, vous pouvez les remplacer par des étrilles.

Les *fideus* à l'encre de seiche et langoustines, par leur saveur iodée, apportent dans les assiettes la fraîcheur maritime de la Méditerranée Catalane.

Dans une casserole, mettez le blanc de seiche coupé en 2, le poireau émincé, l'oignon coupé en 2, la branche de thym, le laurier. Mouillez d'eau à hauteur. Salez. Laissez cuire 1 h à couvert. Filtrez l'eau et réservez-la pour la cuisson des fideus.

Préparez la sauce crabe. Dans une main, tenez les pinces des crabes et enlevez le tablier. Faites dorer les crabes et l'oignon haché avec 3 c. à s. d'huile d'olive. Salez, poivrez. Ajoutez 3 gousses d'ail hachées et le thym. Faites revenir.

Déglacez la sauce au Banyuls. Mouillez à hauteur. Laissez cuire 30 min. 10 min avant la fin de la cuisson, ajoutez les têtes de langoustines. Couvrez. Avant de mixer et tamiser la sauce, retirez les têtes, réservez-les pour la décoration. Montez la sauce au beurre. Laissez réduire 3 min.

et langoustines

JEAN-CLAUDE
VILA

Cuisson : 1 h 50

Faites revenir l'oignon tendre ciselé avec 1 c. à s. d'huile d'olive et 2 gousses d'ail émincées.

Dans la préparation d'oignon et d'ail, ajoutez les fideus. Panez le corps décortiqué des langoustines dans la pomme de terre finement râpée. Faites blondir légèrement dans l'huile de friture. Réservez.

Mouillez les fideus avec la cuisson des seiches, ajoutez 1 c. à. s. d'encre. Cuisez à couvert, environ 20 min. Coupez 12 lanières de seiche et le restant en petits dés. Dressez dans l'assiette, un fond de fideus, les dés et lanières de seiche, la langoustine, versez la sauce crabe.

ALAIN
CARRO

Filets de rouget

4 personnes   ★★★   **Préparation : 2 h**

4 rougets de 250 g
chacun
1 cuillère à soupe
d'huile d'olive
1 bouquet d'aneth
Sel, poivre

**Brunoise
de ratatouille :**
2 courgettes longues
1 grosse aubergine
1 poivron rouge
1 poivron vert
1 gousse d'ail
1 oignon

2 cuillères à soupe
d'huile d'olive
Sel, poivre
1 branche de thym
(facultatif)

**Soupe de poissons
de roche :**
500 g de poissons
de roche
2 cuillères à soupe de
concentré de tomates
1 branche de fenouil
ou graine de fenouil
1 oignon

1 gousse d'ail
1 carotte
2 doses de safran
en poudre
2 cuillères à soupe
d'huile d'olive
20 cl de pastis
Sel, poivre
1 bouquet garni : thym,
laurier, persil

Rouille :
1 dose de safran en
poudre

1 œuf
20 cl d'huile
de tournesol
1 cuillère à café de
moutarde de Dijon
(facultatif)
1 pointe de couteau
de harissa
Sel

Cette recette fleure bon le Midi de la France ! Notre chef Alain Carro a attribué le nom de son restaurant, "Le Castellaras" à cette création. Castellaras est le nom donné par les archéologues aux enceintes préhistoriques, situées aux sommets des pré-Alpes maritimes. Si vous passez sur ses terres, vous sentirez combien sa cuisine et ses roses embaument la Provence. Vous patienterez avant de vous mettre à table, en dégustant l'anisette traditionnelle, à l'ombre du platane.

Tous les ingrédients de la recette sont originaires du pays où le soleil est généreux. Elle se révèle d'un extrême raffinement, tant par le goût des produits que par sa présentation. Pour que la préparation soit parfaite, détaillez bien les légumes de la ratatouille en brunoise, c'est très important pour le rendu final.

Ôtez tout le blanc des poivrons. La taille des légumes doit être bien uniforme. Faites levez les filets de rougets par votre poissonnier, vous gagnerez du temps.

Sinon nettoyez-les et levez-les avec un bon couteau. Finissez d'enlever les arêtes à la pince à épiler. En revanche, il n'en sera pas de même avec les poissons de roche, il vous suffira de les rincer à l'eau claire. Ces petits poissons doivent être bien frais.

Vous reconnaitrez, le petit sar : rayé verticalement de bandes grises et noires ; le rouquier : vert et marron ; la girelle : fine et longue à rayures rouges et noires ; la perche de mer : mouchettée de rouge et de vert ; le chapon, la rascasse qui changent de couleur pour se camouffler et qui arborent le vert foncé ou le rouge. Et quand la pêche est miraculeuse, on trouve parfois des petits crustacés appelés cigalons de mer.

Pour ce qui est de la rouille, la base n'est qu'une simple mayonnaise. Pour aider l'émulsion ou si par malchance elle venait à tomber ajoutez une petite cuillère à café de moutarde ou quelques gouttes d'eau.

Pour la soupe, découpez en brunoise la garniture aromatique : oignon, carottes et ail. Ajoutez le bouquet garni. Faites revenir le tout à l'huile d'olive jusqu'à coloration des légumes.

Ajoutez les poissons de roche à la garniture aromatique. À ce stade les oignons sont translucides. Faites revenir de nouveau.

Puis ajoutez le pastis, la branche de fenouil, le safran et le concentré de tomates. Mouillez d'eau jusqu'à hauteur des poissons. Cuisez doucement pendant 20 min. Assaisonnez. Passez la soupe à la moulinette. Ôtez le fenouil et le bouquet garni, puis passez à l'étamine.

**ALAIN
CARRO**

Cuisson : 45 min

Pour la préparation de la brunoise de rata-touille, taillez courgettes, oignon, ail, aubergine et poivrons. Faites revenir dans l'huile d'olive pendant 10 min, jusqu'à ce que l'oignon soit translucide. Ajoutez le thym. Les légumes doivent être croquants. Salez, poivrez.

Confectionnez la rouille comme pour une mayonnaise, montez l'œuf et éventuellement la moutarde, avec l'huile de tournesol. Rajoutez le safran, le sel et la harissa.

Salez, poivrez et cuisez les filets de rougets avec 1 c. à s. d'huile d'olive, d'abord 2 min sur la peau, puis 3 min sur la chair. Déposez une cuillère de brunoise de légumes entre deux filets de rougets. Disposez-les dans une assiette. Versez la soupe et diposez des que-nelles de rouille autour. Décorez avec l'aneth.

JEAN-MICHEL
MINGUELLA

Filets de rougets

4 personnes ★ Préparation : 20 min

800 g de filets de rougets
4 cuillères à soupe d'huile d'olive

Pissalat :
50 g de filets d'anchois salés à l'huile
8 cuillères à soupe de fumet de poisson
200 g d'olives niçoises
8 tomates cerises

10 cl d'huile d'olive
30 g de beurre
10 cl de crème fraîche liquide
Sel
Poivre

Décoration :
Pluches de cerfeuil

Le rouget de roche de la Méditerranée est aussi baptisé rouget barbet lorsqu'il ondule dans l'Atlantique. C'est un poisson rouge de petite taille, un peu plus grand qu'une sardine. Vous le reconnaîtrez sans peine sur les marchés car il possède deux longs barbillons mentonniers, ce qui lui valut son qualificatif de "barbet". L'automne est la meilleure saison pour le consommer.

Les poissonniers ont l'habitude de le présenter déjà écaillé, pour la simple raison qu'il est ainsi plus agréable à la vue, sa couleur étant plus vive. Ses ouïes devront être bien rouges, son allure sera fringante. Si ces poissons de roche venaient à manquer, vous pourriez aussi utiliser des filets de loup ou de dorade.

Pour faciliter la mise en place de cette recette, demandez à votre poissonnier de lever les filets de poissons. Lorsque vous ôterez les arêtes, passez votre index sur la chair. S'il y a une aspérité, c'est qu'il en reste ! En ce qui concerne l'autre invité de la recette, le pissalat,

Jean-Michel Minguella utilise des olives provenant de Nice pour le préparer. Ces dernières sont d'une élégante forme oblongue et de petite taille. Elles sont aussi appelées "cailletier de Nice". Ces Niçoises tant appréciées par notre chef marseillais, sont les plus réputées pour élaborer la fameuse huile d'or.

Leur saveur, un soupçon acide, réveillera admirablement le goût des filets de rougets. Néanmoins, vous pourrez aussi les remplacer par de simples olives noires. En outre, celles-ci sont parfois proposées dénoyautées, dans le commerce. En les utilisant, vous gagnerez du temps sur la mise en place.

Pour obtenir un goût plus prononcé, nous vous suggérons aussi d'agrémenter la purée d'olives et d'anchois, de thym et de laurier. Avant de napper les assiettes de sauce pissalat, préchauffez-les dans votre four, ainsi vous garderez bien lisse votre sauce qui ne se figera pas.

Lavez, évidez et ébarbez les rougets. Levez les filets, coupez la partie ventrale. Ôtez les arêtes à la pince à épiler. Salez et poivrez.

Pour le pissalat : mixez 60 g d'olives, les anchois, ajoutez l'huile d'olive.

Passez la mixture obtenue au tamis. Ajoutez le fumet de poisson. Réservez-la.

Cuisson : 10 min

Préchauffez votre four à 220°C. Faites chauffer la crème liquide, ajoutez le beurre en fouettant pour bien monter la sauce. Réservez-le.

Incorporez le pissalat dans la crème précédente. Quadrillez les filets de rougets sur une plaque à grillades très chaude. Posez-les côté chair sur un plat huilé allant au four. Salez et poivrez au moulin. Veillez à la cuisson, elle dépend de la grosseur des filets.

Faites rôtir, 5 min, au four le restant des olives et des tomates cerises nappées d'huile. Disposez les filets de rougets dans les assiettes préchauffées. Décorez avec les olives dénoyautées et les tomates cerises rôties. Arrosez le tout d'un filet d'huile d'olive. Parsemez de pluches de cerfeuil.

Gigot de mer

4 personnes	★★	Préparation : 30 min

2 queues de baudroie de 800 g (ou 4 de 250 g)
10 tranches de pain de mie
10 gousses d'ail
2 œufs
8 mini-carottes
4 mini-fenouils
8 mini-navets
4 pommes de terre
2 feuilles de laurier
1 botte de persil
1/2 botte de thym
100 g d'olives noires dénoyautées
10 g de beurre

2 cuillères à soupe d'huile d'olive
7 cuillères à soupe d'huile d'arachide
Sel
Poivre

Aïoli :
1 œuf
4 gousses d'ail
25 cl d'huile d'olive
1 pointe de couteau de safran
Sel

Dans la recette de Francis Robin, la baudroie, à la chair fine et délicate s'habille d'or pour mieux vous séduire. C'est un poisson très facile à accommoder et à proposer aux enfants, car il ne possède qu'une grosse arête centrale ! Communément appelé "lotte de mer", il est souvent proposé en tronçons sur les étals des poissonniers. Comme sa tête est rarement présentée, fiez-vous à la blancheur neigeuse de sa chair pour le choisir. Si vous remarquez des filaments jaunes, reportez-vous sur un autre poisson plus frais.

L'originalité de cette préparation est qu'elle s'apprête comme un gigot de viande. La chair est piquée de bâtonnets d'ail. Originaire d'Asie centrale, cette plante à bulbe de la famille des liliacées, a toujours figuré en France parmi les condiments les plus populaires. Vous la retrouverez dans la plupart des recettes méditerranéennes, et surtout dans la sauce aïoli, que nous vous proposons. Pour bien la monter, nous vous conseillons de saler en premier lieu l'ail haché.

Vous ajouterez ensuite l'œuf, et monterez avec l'huile d'olive, versée peu à peu à petit filet.

Les légumes qui accompagnent notre plat méridional doivent être d'une saveur douce. Francis Robin vous recommande toutefois d'éviter la tomate, la courgette et l'aubergine. Utilisez de jolies pommes de terre à chair ferme, telles que la charlotte ou la roseval. Elles se tiendront mieux à la cuisson.

Quant aux mini-légumes, ils peuvent être remplacés par ceux de taille habituelle. Vous choisirez des bulbes de fenouils bien blancs, relativement renflés et fermés. Leur tige sera d'un joli vert. Préférez les petits, ils sont plus tendres que les gros. Ils se conserveront plusieurs jours dans le bac à légumes du réfrigérateur. Quant aux carottes et aux navets, choisissez-les en bottes, à la peau lisse, fine et brillante.

Nettoyez et parez les queues de baudroies. Épluchez carottes, pommes de terre, navets et fenouils, et laissez un départ de fane sur les navets et les carottes. Cuisez-les séparément à l'eau salée, avec 1 gousse d'ail et 1/2 feuille de laurier dans chaque eau de cuisson.

Versez dans un saladier la mie de pain, préparée avec les tranches de pain de mie tamisées la veille et séchées à l'air libre. Ajoutez 4 gousses d'ail et le persil hachés, et le thym émietté. Salez et poivrez la panure obtenue.

Épluchez 2 gousses d'ail et débitez-les en bâtonnets. Piquez-les à la surface des gigots de baudroie, en essayant de les répartir uniformément. Battez les œufs et ajoutez 2 c. à s. d'huile d'olive.

à la provençale

**FRANCIS
ROBIN**

Cuisson des légumes : 30 min   **Cuisson des gigots : 15 min**

Badigeonnez les baudroies du mélange d'œufs et d'huile d'olive, puis passez-les dans la panure. Commencez l'aïoli en pilant l'ail cru dans un mortier. Ajoutez le sel, 1 jaune d'œuf, l'huile petit à petit et une pointe de safran. Montez à la façon d'une mayonnaise.

Préchauffez votre four à 200°C. Faites chauffer 7 c. à s. d'huile d'arachide et du beurre dans une grande poêle. Poêlez les gigots de baudroie dans ce mélange, jusqu'à ce qu'ils soient bien saisis et dorés. Enfournez-les ensuite pendant 10 min.

Surveillez la cuisson au four, et arrosez souvent les gigots de baudroie avec le jus de cuisson. Présentez tous les légumes et les olives noires avec les gigots de mer. Servez l'aïoli à part.

JEAN PLOUZENNEC

4 personnes	★★	Préparation : 40 min

1 langouste de 1,5 kg
10 cl de Banyuls sec
20 g de beurre
2 cuillères à soupe d'huile d'olive
15 cl de fumet de poisson
10 g de chocolat noir
1 artichaut
2 zestes d'orange émincés
Sel
Poivre
Huile de friture

Garniture aromatique :
1 carotte
1 oignon
4 gousses d'ail
2 anchois

Bouquet garni :
1 côte de céleri
Thym
Laurier
Persil

Pour préparer cette recette digne des plus grandes fêtes catalanes, il faut d'abord vous procurer une langouste, dite "royale". Elle est issue de la Méditerranée. Veillez à ce qu'elle soit bien vivante ! Vous la découperez à vif, sur toute sa longueur. Ainsi, la cuisson de sa chair révèlera toute sa quintessence. Vous conserverez la tête pour enrichir le fumet de poisson.

Vous obtiendrez une garniture aromatique, en commençant par découper la carotte et l'oignon en dés, et vous ajouterez le bouquet garni dans une poêle avec une bonne cuillère à soupe d'huile d'olive. Parallèlement, vous couperez plusieurs zestes dans la hauteur de l'orange. Blanchissez-les dans 15 cl d'eau. Vous réserverez ce jus pour mouiller la cuisson de la tête de la langouste.
Jean Plouzennec a revisité la préparation de la traditionnelle "langouste au chocolat à la catalane". Il n'est pas rare de retrouver du chocolat dans les recettes locales.

Cet ingrédient apporte de la rondeur aux saveurs sucrées-salées. Non loin d'Amélie-les-Bains, où exerce notre chef, Port-Vendres accueillait autrefois en son anse, toutes les cargaisons de l'antique route des épices. C'est en souvenir de ce grand déballage, que la gastronomie catalane se délecte familièrement de chocolat, de cannelle, de safran et de bien d'autres fines épices.

Le Banyuls qui sert à déglacer la langouste est un vin doux naturel. Il apporte le sucre si cher à la gastronomie catalane. Même s'il porte le nom de sa ville de naissance, on l'élabore aussi à Collioure, Cerbère et Port-Vendres, à partir de raisins très sucrés, du grenache noir. De l'alcool est ajouté pour arrêter sa fermentation. On dit alors que le vin est "muté". Depuis, le Banyuls est devenu une A.O.C., une Appellation d'Origine Contrôlée. Il existe deux types de Banyuls, le "grand cru", et le "dry" ou "brut", que l'on qualifie aussi de "sec".

Dans une poêle, faites revenir 5 min dés de carotte, oignon et ail émincés avec le bouquet garni, dans 1 c. à s. d'huile d'olive. Ajoutez les filets d'anchois dessalés. Faites cuire avec la tête de langouste et le jus de cuisson les zestes d'orange blanchis 20 min. Filtrez et réservez ce fumet.

Découpez la queue de la langouste en deux sur toute sa longueur. Faites-les revenir sur le côté chair, puis sur la carapace, dans 1 c. à s. d'huile d'olive, en comptant 3 min par face.

Préchauffez votre four à 200°C. Déglacez la langouste au Banyuls sec, en le versant tout autour. Enfournez-la pendant 15 min à 200°C.

a banyulaise

JEAN
PLOUZENNEC

Cuisson : 50 min

Pendant que la langouste cuit, portez à ébullition le fumet de poisson et réduisez au 3/4. Ajoutez les parties molles de la langouste et le sang. Mixez légèrement. Incorporez 10 g de chocolat noir. Montez le feu. Ajoutez le beurre froid en petits morceaux, mélangez vivement. Filtrez la sauce.

Avant le service final, rectifiez l'assaisonnement de la sauce en sel et poivre. Vous ajouterez la sauce au chocolat en dernier, sur la langouste sortant du four.

Pendant la cuisson de la langouste, tournez l'artichaut et débitez-le en chips, à l'aide d'un économe. Chauffez votre huile de friture, et faites frire les copeaux d'artichaut jusqu'à coloration. Servez la langouste parsemée de chips d'artichaut.

Le rouget poêl

| 4 personnes | ★ | Préparation : 10 min |

4 rougets barbets de 250 g pièce
4 tomates roma
2 échalotes
100 g d'olives noires dénoyautées
1 gousse d'ail
3 cuillères à soupe d'huile d'olive
Sel
Poivre

Vinaigrette balsamique :
3 cuillères à soupe d'huile d'olive
1 cuillère à soupe de vinaigre balsamique
Sel
Poivre

Christian Étienne est très attaché à sa Provence natale. Son établissement, qui porte son nom, est situé en plein cœur d'Avignon. Dans cette ville chargée d'histoire, le restaurant de notre chef est un véritable bijou. Juxtaposé au célèbre palais des Papes, il a appartenu aux vices-légats. À l'intérieur, des fresques datant du XVe siècle témoignent encore du passage de ces hôtes de marque.

La cuisine typiquement méridionale de Christian Étienne lui ressemble. Haute en couleur, elle se dévoile subtile tout en restant simple.

Le rouget barbet de Méditerranée est très apprécié pour sa chair délicate, fragile mais de bonne texture. Son goût tout à fait exceptionnel est unique. Demandez à votre poissonnier de lever les filets. Selon l'arrivage, vous pouvez réaliser cette recette avec de la baudroie, du cabillaud ou du loup de mer.

L'été, notre chef compose une carte essentiellement à base de tomates. Originaires du Pérou, elles furent importées en Espagne au XVIe siècle où elles étaient considérées comme vénéneuses. Il fallut attendre près de deux siècles pour qu'elles s'imposent sur les tables.

Christian Étienne affiche sa préférence pour les tomates roma. Petites, fermes et parfumées, elles sont aussi connues sous le nom d'olivettes. Présentes sur les marchés de juillet à octobre, elles sont principalement cultivées en Provence et en Languedoc-Roussillon. À l'achat, elles doivent être fermes, charnues, luisantes et de préférence de couleur uniforme. Vous pouvez remplacer la roma par une autre tomate comme la marmande. Lors du poêlage, redoublez de prudence car l'huile doit être très chaude.

Si le chef ne peut se passer de l'ail, il accorde aussi une place de choix à l'échalote. Parente de l'oignon et de l'ail, elle apporte aux tomates son arôme subtil.

Vous pouvez accompagner les filets d'une portion de riz ou d'une purée de pommes de terre à l'huile d'olive. Avec cette recette, vous êtes déjà en vacances…

Lavez et coupez les tomates roma non pelées dans le sens de la longueur, en lamelles de 1 cm d'épaisseur.

Poêlez les lamelles de tomates avec 2 c. à s. d'huile d'olive bien chaude, pendant 2 min.

Épluchez puis hachez les échalotes et l'ail. Ajoutez-les aux tomates. Laissez mijoter quelques instants. Assaisonnez avec le sel et le poivre et laissez reposer.

le Christian Étienne

Cuisson : 10 min

Hachez grossièrement les olives noires. Préparez la vinaigrette balsamique en commençant par le sel, puis le poivre. Ajoutez le vinaigre. Remuez et versez l'huile d'olive. Délayez et incorporez les olives.

À l'aide d'une spatule, dressez les tomates sur l'assiette. Salez et poivrez les filets de rougets.

Poêlez les rougets côté peau, 2 min dans 1 c. à s. d'huile d'olive. Retournez-les côté chair, pendant 1 min. Dressez l'assiette en plaçant les filets sur les tomates. Ajoutez la vinaigrette balsamique.

CHRISTIAN
ÉTIENNE

Loup au fenouil braisé

4 personnes ★ **Préparation : 30 min**

1 loup de 1,4 kg
2 bulbes de fenouil
50 cl de soupe de poisson
5 cuillères à soupe d'huile d'olive
Sel
Poivre

Décoration :
Pluches de fenouil
1 pincée de pistils de safran

Le loup au fenouil braisé est un classique de la cuisine provençale. Ce poisson de mer de la famille des serranidés, aussi appelé bar, est très apprécié pour sa chair fine et serrée, très maigre et délicate. Selon l'arrivage, vous pouvez le remplacer par du rouget, du cabillaud ou de la baudroie.

Si vous éprouvez des difficultés pour lever les filets, demander à votre poissonnier de les préparer. Choisissez de préférence un gros loup avec la peau afin de la caraméliser légèrement au moment du poêlage.

Notre chef vous suggère de préparer le jus de bouillabaisse en vous procurant un kilo de petits poissons de roche. Faites roussir un oignon émincé avec une cuillère à soupe d'huile d'olive, puis ajoutez une cuillère à soupe de concentré de tomates. Laissez chauffer environ une minute pour enlever l'acidité. Mettez les poissons vidés et lavés, une tête d'ail écrasée et assaisonnez.

Mouillez à l'eau jusqu'à hauteur avec deux grammes de safran, une branche de thym, une feuille de laurier. Laissez cuire pendant vingt minutes, puis tamisez. Quand le jus devient sirupeux, montez-le avec trois cuillères à soupe d'huile d'olive.

Avec le jus de bouillabaisse, le fenouil est un des ingrédients vedettes de cette recette. Son goût légèrement anisé parfume admirablement les poissons. Cette plante aromatique, dont le bulbe est formé par la base large des feuilles qui s'imbriquent les unes dans les autres, est consommée en légume. Présent sur les marchés d'octobre à mai, il doit être bien blanc, ferme arrondi et sans taches.

Le loup au fenouil braisé, jus de bouillabaisse est un plat qui fleur bon l'iode. Par ses saveurs méditerranéennes, cette recette rappelle les rivages du Midi de la France.

Écaillez le loup et levez les filets en incisant au niveau des ouïes. Entaillez en partant de la tête et en suivant l'arête dorsale. Transpercez au niveau du bas du ventre jusqu'à la queue. Avec une pince à épiler, ôtez les arêtes centrales.

Conservez le ventre et les arêtes pour le fumet. Coupez les filets de loup en pavés en gardant la peau.

Lavez puis coupez le fenouil en tranches épaisses. Mettez de côté les pluches.

us de bouillabaisse

CHRISTIAN
ÉTIENNE

Cuisson : 30 min

Poêlez les tranches de fenouil avec 2 c. à s. d'huile d'olive pendant 1 à 2 min pour les colorer.

Braisez le fenouil dans la soupe de poisson en laissant cuire environ 20 min. Égouttez-les puis découpez le talon. Rectifiez l'assaisonnement de la soupe de poisson.

Salez et poivrez les pavés de loup. Faites-les rôtir avec 3 c. à s. d'huile d'olive, 5 min de chaque côté. Dressez l'assiette en la nappant avec la soupe de poisson, placez les pavés sur le fenouil. Ajoutez les pluches de fenouil et les pistils de safran.

DANIEL ETTLINGER

Loup rôti et s·

4 personnes	★★	Préparation : 45 min

1 loup de 1,2 kg
2 cuillères à soupe d'huile d'olive
Sel
Poivre

Barigoule :
8 artichauts violets
2 petites carottes
1 oignon moyen
50 g de coppa
1 gousse d'ail
1 branche de céleri

10 cl de vin blanc
2 tomates
2 cuillères à soupe d'huile d'olive
1/4 de litre de fond blanc
1 bouquet de persil plat
50 g d'olives noires dénoyautées
50 g de beurre
Sel
Poivre

Le loup rôti et sa barigoule d'artichauts est un plat typiquement provençal. Aujourd'hui, dans le langage méridional, la barigoule désigne une préparation d'artichauts farcis et braisés. À l'origine, ils étaient coupés au ras de la queue, simplement arrosés d'huile d'olive et grillés. Au fil du temps, cette recette paysanne s'est enrichie d'une farce de légumes et de charcuterie.

Pour réaliser ce plat, notre chef utilise uniquement des poivrades. Ces petits artichauts violets sont reconnaissables à leur jolie teinte verte violacée, parfois presque chinée. Très tendres, ils peuvent se consommer crus. À l'achat les feuilles doivent être intactes, sans taches et bien fermées.

Daniel Ettlinger vous conseille pour éviter l'oxydation, de faire tremper les fonds dans un mélange d'eau et de jus de citron. N'oubliez pas alors de les égoutter avant de les rôtir.

Toute la garniture doit être coupée en dés. Notre chef insiste sur la cuisson au vin blanc. Il est impératif d'attendre l'évaporation complète sinon l'acidité risque de dominer. Les tomates que vous ajoutez à la fin doivent être mondées et épépinées.

La coppa est une charcuterie italienne et corse. Vous pouvez la remplacer par de la pancetta ou des dés de lard salé et légèrement fumé.

Comme la barigoule, le loup est lui aussi étroitement associé au patrimoine culinaire provençal. Ce poisson de mer, aussi appelé bar, est très apprécié pour sa chair fine et serrée, très maigre et délicate. Selon l'arrivage, vous pouvez le remplacer par de la daurade royale ou du mérou. Si vous éprouvez des difficultés pour lever les filets, demandez à votre poissonnier de les préparer.

Le loup rôti et sa barigoule d'artichauts se présente généralement dans des assiettes creuses. Ce plat de poisson est un hommage aux traditions du littoral et de l'arrière-pays niçois...

Avec un couteau à dent, épluchez les artichauts en les tournant jusqu'au fond en conservant les queues. Avec une cuillère à pomme parisienne, enlevez le foin.

Faites revenir les artichauts avec 1 c. à s. d'huile d'olive. Salez légèrement. Commencez la barigoule en coupant en petits dés le céleri, l'oignon, les carottes, l'ail, la coppa. Ajoutez-les aux artichauts. Laissez mijoter 5 min en remuant souvent. Poivrez et rectifiez l'assaisonnement.

Déglacez au vin blanc et laissez réduire à sec jusqu'à évaporation complète du vin blanc.

barigoule d'artichauts

DANIEL
ETTLINGER

Cuisson : 25 min

Mouillez avec le fond blanc et laissez mijoter 7 min environ en fonction de la grosseur des artichauts.

Écaillez, levez les filets de loup et désarêtez. Coupez-les en pavés. Incisez légèrement la peau. Salez et poivrez. Faites dorer les pavés avec 1 c. à s. d'huile d'olive, 4 à 5 min de chaque côté.

Ajoutez à la barigoule, les tomates coupées en lanières, les olives coupées, le persil haché. Rectifiez l'assaisonnement. Ajoutez le beurre pour lier la sauce puis 1 c. à s. d'huile d'olive. Dressez dans l'assiette les pavés de loup, la barigoule et arrosez avec 1 c. à s. d'huile d'olive.

Matelote à l

1,25 kg d'anguilles vivantes
75 g d'échalote
50 g d'oignon
2 gousses d'ail
6 tomates
25 cl de vin blanc
10 cl de fumet dè poisson
30 g de farine de blé
2 cuillères à soupe d'huile d'olive
1 pointe de piment de Cayenne
Sel
Poivre

Fines herbes :
20 g de cerfeuil
20 g de ciboulette
30 g de persil plat
1 branche d'estragon

Croûtons :
4 tranches de pain ou pain de mie
15 g de beurre

L'anguille est un animal bien étrange. Aussi souple qu'un serpent, elle possède de petites nageoires tout comme un poisson. Sa peau est enduite d'un produit visqueux. Toutes les anguilles naissent femelles, puis certaines changent de sexe. Seules les femelles pénètrent dans les estuaires.

Cette recette est un grand classique de la région de Sète. Cela s'explique par la proximité de l'étang de Thau, où foisonnent ces délicieux poissons. L'anguille doit être vendue vivante et dépouillée au dernier moment, car elle s'altère très vite. Consommez-la le jour même de l'achat. Demandez à votre poissonnier de la préparer, car c'est assez fastidieux. Cependant, son arête centrale s'enlève d'un seul coup.

Dans l'Antiquité, les Romains servaient l'anguille lors de riches et fastes dîners d'apparats, car elle était synonyme de succulence. Aujourd'hui, elle figure aussi dans bon nombre de recettes françaises de la côte ouest. La production d'anguilles de la région languedocienne s'exporte très bien, car les plus grands amateurs demeurent surtout à l'étranger : Japonais, Scandinaves et Italiens en sont très friands.

Pour dépouiller l'anguille vivante, il faut d'abord la saisir et l'assommer sur une surface dure. Passez un nœud coulant à la base de la tête et suspendez-la. Fendez la peau tout autour de la tête, en passant juste au dessous des petites nageoires. Décollez la peau à l'aide d'un torchon, en la tirant vivement vers le bas. Ensuite, videz l'animal en l'incisant largement jusqu'à la tête. Retirez correctement les viscères, et veillez à ne pas crever la poche de fiel. Coupez la tête et l'extrémité de la queue. Rincez l'anguille et débitez-la en tronçons. Par ailleurs, la matelote d'anguilles est aussi fréquemment confectionnée dans du vin rouge additionné d'aromates.

Si les anguilles ne sont pas apprêtées, videz-les et ébarbez-les. Commencez par décoller le cuir. Retroussez la peau avec un torchon, en tirant vers le bas. Tronçonnez les anguilles en morceaux de 5 cm environ.

Plongez les morceaux d'anguilles dans l'eau bouillante salée, 1 min afin de les dégraisser. Rafraîchissez-les aussitôt. Égouttez-les, réservez-les. Épluchez puis ciselez l'oignon et l'échalote. Mondez et concassez les tomates. Pelez l'ail, écrasez-le.

Dans une casserole, faites chauffer une cuillère à soupe d'huile d'olive. Laissez revenir sans roussir l'échalote, l'oignon, l'ail puis les tomates concassées. Faites bien compoter pendant 6 min.

Cuisson : 25 min

Saupoudrez de farine les tronçons d'an-guilles. Disposez-les dans la sauce aux tomates. Salez, poivrez, ajoutez le piment de Cayenne. Laissez cuire 8 à 10 min sui-vant la grosseur des morceaux d'anguille.

Mouillez la préparation avec le vin blanc, et réduisez d'un tiers. Ajoutez le fumet de poisson, et continuez à faire cuire pendant 5 min. Pendant ce temps, découpez le pain de mie en croûtons triangulaires, et poêlez au beurre. Nettoyez et ciselez les fines herbes.

Ajoutez 1 c. à s. d'huile d'olive dans la sauce, et les fines herbes au dernier moment. Rectifiez l'assaisonnement. Versez la sauce sur les morceaux d'anguilles, et entourez-les de croûtons dorés.

JOËL
GARAULT

Médaillons de baudroi

4 personnes ★ **Préparation : 30 min**

1,5 kg de baudroie
2 cuillères à soupe d'huile d'olive
Sel, poivre

Caviar d'aubergines :
1,5 kg d'aubergines
10 cl d'huile d'olive
20 g de pignons de pin
Sel, poivre

Coulis de poivrons rouges :
500 g de poivrons rouges
250 g de tomates

1 échalote
5 g de concentré de tomates
1 gousse d'ail
1/2 litre de fumet de poisson
5 g de badiane
1 cuillère à soupe d'huile d'olive
Sel, poivre

Décoration :
4 gousses d'ail
5 cl d'huile d'olive
1 branche de cerfeuil

Les médaillons de baudroie sont un plat typiquement méridional. Chaque ingrédient utilisé reflète la Provence. Notre chef, qui officie à Monte-Carlo, a révisité cette recette. *"La baudroie par la consistance de sa chair ferme rencontre les saveurs du soleil avec le coulis chaleureux de poivrons et le moelleux du caviar d'aubergines, escorté de pignons grillés".*

Appelé en méditerranée baudroie, ce poisson de mer est aussi connu sous le nom de lotte. Malgré son aspect disgracieux, il est très apprécié dans le Sud de la France pour sa chair ferme. Si vous éprouvez des difficultés pour préparer les médaillons, demandez à votre poissonnier de le faire. Selon l'arrivage, certains réalisent ce plat avec des lisettes qui sont des petits maquereaux.

Préparé en coulis, le poivron apporte, à cette recette, toute sa saveur suave. Issu d'une variété de piment doux, ce fruit utilisé comme légume, se distingue des piments forts par sa grosseur. Le rouge est le plus fragile et le plus difficile à conserver. Choisissez-le bien dur, lisse, le pédoncule assez vert et rigide, sans taches, sans flétrissures. Notre chef confectionne le coulis à l'étouffée en couvrant la casserole d'une feuille de papier d'aluminium.

Ce plat de poisson se marie avec bonheur au caviar d'aubergines. Évitez de choisir ces dernières trop grosses, leur chair est souvent farineuse ; ou trop grandes, elles sont généralement remplies de pépins. À l'achat, la peau doit être lisse, bien tendue, brillante, sans taches. Si vous préférez un goût plus neutre, remplacez le caviar d'aubergines par une marmelade de courgettes.

Les médaillons de baudroie, façon Joël Garault, sont un plat judicieusement pensé. Raffiné au goût, il apporte dans les assiettes la douceur du soleil de Méditerranée.

Nettoyez la baudroie et entaillez la première peau avec des ciseaux. Enlevez les autres peaux. Ôtez les nageoires dorsale et ventrale en les coupant à contresens ainsi que la queue. Taillez 12 médaillons de baudroie.

Avec un économe, pelez les aubergines une fois sur deux. Réservez les peaux. Coupez les aubergines en 2, incisez-les. Salez, poivrez. Arrosez chaque moitié avec 1 c. à s. d'huile d'olive. Placez-les sur une plaque et laisser cuire au four, 45 min, à 160°C.

Confectionnez le caviar d'aubergines, en pelant à l'aide d'une cuillère, la chair cuite. Au couteau, concassez les pignons grillés et la chair. Rectifiez l'assaisonnement. Réservez. Faites confire les gousses pendant 35 min avec l'huile d'olive. Réservez pour la décoration.

açon Joël Garault

Cuisson : 45 min   Macération des gousses d'ail : 35 min

Réalisez le coulis de poivrons en commençant par faire suer l'échalote émincée avec 1 c. à s. d'huile d'olive. Ajoutez les poivrons, les tomates coupées en morceaux, le concentré de tomates, l'ail écrasé, le fumet de poisson et la badiane. Faites compoter 15 min. Mixez et tamisez.

Coupez la peau des aubergines en losanges. Faites-les frire avec 3 c. à s. d'huile d'olive. Réservez pour la décoration.

Salez et poivrez les médaillons de baudroie. Poêlez-les avec 2 c. à s. d'huile d'olive, environ 3 min. Placez dans l'assiette, 3 quenelles d'aubergine, 1 médaillon posé dessus, versez le coulis de poivrons, décorez avec le cerfeuil, les losanges frits et les gousses d'ail confites.

JEAN-CLAUDE
VILA

Morue en samfaïne

4 personnes ★★ **Préparation : 20 min**

500 g de morue
1 petite pomme de terre
1 tête d'ail
10 cl de crème fraîche liquide
1 branche de thym frais
100 g de farine
10 cl d'huile d'olive
Huile de friture
Sel
Poivre

Samfaïne :
1 poivron rouge
1/2 poivron vert
2 oignons jaunes
1 aubergine
3 tomates
10 cl d'huile d'olive
Sel
Poivre

Décoration :
Pluches de cerfeuil (facultatif)

La cuisine catalane puise ses racines de chaque côté des Pyrénées. Les influences culinaires des villes de Gérone et Barcelone ont perduré à Perpignan à travers les siècles. La morue en *samfaïne* illustre cette culture propre aux deux régions. En catalan, la *samfaïne* désigne une ratatouille légèrement caramélisée. Les légumes doivent cuire jusqu'à l'évaporation complète de leur eau. Le goût particulier de cet accompagnement réside dans sa cuisson. La *samfaïne* est réussie lorsqu'elle est compotée.

La morue, si précieuse, aux Catalans du Nord et du Sud, doit impérativement être dessalée la veille. Prenez soin de changer souvent l'eau. Ce poisson des mers froides est aussi commercialisé en France, lorsqu'il est frais et non salé. Il prend alors le nom de cabillaud.

Les légumes utilisés pour la réalisation de la *samfaïne* symbolisent tous la Méditerranée : les poivrons apportent leur saveur suave. Issus d'une variété de piment doux, ils se préparent généralement épépinés et parfois pelés. Les rouges sont plus fragiles et difficiles à conserver. Choisissez-les bien durs, lisses, le pédoncule assez vert et rigide, sans taches, sans flétrissures. Autre ingrédient indispensable : l'aubergine. Originaire de l'Inde, ce fruit allongé ou arrondi possède une peau lisse et brillante, d'un violet plus ou moins foncé. Quant aux oignons et aux tomates, ils sont également présents dans la ratatouille traditionnelle.

Pour agrémenter ce plat, notre chef a souhaité accompagner la morue d'une sauce à l'ail. Originaire d'Asie centrale, cette plante à bulbe est réputée pour son goût assez puissant. Pour l'atténuer, ôter le germe et faites blanchir les gousses. Il suffit de les plonger dans l'eau et de porter à ébullition. Il est important de renouveler cette opération trois fois.

La morue en *samfaïne* et sa crème d'ail ressemble au pays catalan. Il réunit dans l'assiette les traditions du littoral et de l'arrière-pays montagneux.

Préparez les légumes de la samfaïne : coupez les poivrons en lanières et l'aubergine en cube sans la peler, hachez les oignons.

Faites revenir les légumes avec 10 cl d'huile d'olive pendant 10 min. Ajoutez 4 c. à s. d'eau. Salez, poivrez. Faites cuire à couvert pendant environ 30 min.

Mondez les tomates pour les peler. Épépinez-les. Coupez-les en dés et ajoutez-les à la cuisson de la samfaïne. Laissez réduire de 6 à 8 min.

et sa crème d'ail

JEAN-CLAUDE
VILA

Cuisson : 1 h

Dessalage de la morue : 24 h

Épluchez les gousses d'ail et ôtez le germe. Faites blanchir l'ail dans de l'eau jusqu'à ébullition. Renouvelez l'opération 3 fois. Mixez l'ail cuit en incorporant la crème fraîche. Au dernier moment, ajoutez une pincée de thym. Salez, poivrez.

Égouttez la morue et découpez 4 pavés. Farinez-les. Faites-les dorer, 1 min, de chaque côté, avec 10 cl d'huile d'olive. Placez la samfaïne sur les pavés et mettez au four, à 180°C, pendant 7 min.

Épluchez la pomme de terre et coupez-la en tranches très fines. Lavez-les et faites-les frire. Égouttez-les et salez-les. Dressez dans l'assiette, la morue en samfaïne, les chips de pomme de terre. Versez un cordon de sauce à l'ail. Décorez avec les pluches de cerfeuil.

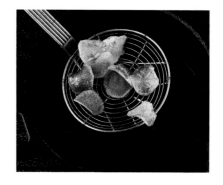

FRANCIS
ROBIN

Pavé de loup grillé

4 personnes ★★ **Préparation : 30 min**

1 loup de 800 g à 1 kg
1 botte de blettes de 500 g
1 échalote
1 tomate
2 citrons
1 gousse d'ail
30 g de filets d'anchois à l'huile d'olive
30 g d'olives noires dénoyautées
80 g de farine
15 cl d'huile d'olive
Huile de friture

Sel
Poivre en grains

Fumet de poisson :
10 cl de vin blanc
1 poireau
1 échalote
2 branches de thym
1 feuille de laurier
Poivre en grains
5 cl d'huile d'olive

Le loup est très apprécié autour du bassin méditerranéen. On le désigne ainsi car c'est un poisson prédateur de la mer. Dans d'autres régions, il prend le nom de bar. Afin de vous faciliter la confection de ce mets, faites lever les filets par votre poissonnier. Pour la préparation du fumet, n'omettez surtout pas de lui demander de réserver les arêtes et la tête ! Votre dernière tâche en ce qui concerne le poisson, sera de bien le laver pour débarrasser les parties sanguinolentes.

Ne cuisez pas trop longtemps la chair délicate du loup ! Elle perdrait tout son intérêt. Comme pour tous les poissons, un loup frais se reconnaît à la rigidité de son corps, à la brillance de ses écailles et à son œil bombé et vif. Sachez que le loup ou bar de ligne, pêché à l'hameçon est bien meilleur que celui d'élevage. Selon la marée, vous pouvez remplacer le loup par de la daurade royale, ou du saint-pierre.

Les blettes apparaissent au printemps et en hiver. Ces plantes potagères appartiennent à la même espèce que les betteraves, et sont vivement appréciées dans le Sud de la France. Les maraîchers proposent deux types de blettes : la première possède de larges feuilles, et la seconde des plus petites. Ces dernières sont alors baptisées "pieds de blettes". Leur avantage réside dans le fait qu'il n'est nullement nécessaire de les effiler, car leurs côtes sont bien plus tendres que la première espèce grand format.

Ces légumes doivent être parfaitement rigides et frais. N'oubliez pas de saler leur eau de cuisson, et de les passer ensuite à l'eau fraîche. Ainsi, ils fixeront mieux leur chlorophylle et le vert sera plus franc.

Lorsque vous utiliserez les anchois, ne salez pas trop la sauce, car ces derniers le sont déjà. Comme tous les plats de poisson, le loup grillé doit être consommé aussitôt servi. Il ne supporte guère d'être réchauffé !

Levez les filets de loup avec leur peau, et découpez l'arête centrale. Pour le fumet, faites revenir à l'huile 1/2 poireau, échalote, thym, laurier et poivre. Ajoutez les arêtes de poisson, le vin blanc et réduisez. Mouillez avec 50 cl d'eau, cuisez 5 min et filtrez.

Rincez les blettes. Séparez les feuilles et les côtes. Enlevez la première pellicule des côtes, et débitez-les en bâtonnets. Réservez feuilles et côtes.

Délayez 80 g de farine dans 1 litre d'eau. Ajoutez 1 jus de citron, 1 pincée de sel et les bâtonnets de côtes de blettes. Cuisez 20 min. Faites blanchir les feuilles de blettes à l'eau salée. Égouttez-les. Mondez la tomate, épépinez-la et concassez-la.

la salonnaise

FRANCIS
ROBIN

Cuisson : 1 h

Faites revenir l'échalote émincée et l'ail écrasé dans 1 c. à s. d'huile d'olive. Ajoutez les côtes de blettes égouttées, la tomate concassée, les anchois hachés et les olives en rondelles. Salez, poivrez. Faites fondre le tout à feu doux.

Coupez les filets de loup en pavés. Striez la peau, salez et poivrez. Poêlez-les d'abord côté peau 3 min dans 2 c. à s. d'huile, et 2 min côté chair. Débitez un morceau de poireau restant en cheveux d'ange et faites-les frire à l'huile. Reprenez le fumet de poisson et faites-le réduire.

Mixez-le, ajoutez le jus d'1 citron et versez doucement 10 cl d'huile d'olive. Sur un lit de feuilles de blettes, déposez le pavé de loup surmonté de cheveux d'ange. Entourez de côtes de blettes aux olives et de sauce.

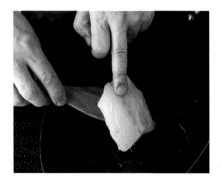

**JEAN-MICHEL
MINGUELLA**

Petite bourride

4 personnes	★	Préparation : 15 min

1 queue de baudroie de 800 g
5 œufs
12 pommes de terre
250 g de pâte feuilletée
20 cl de crème fraîche liquide
2 cuillères à soupe d'huile d'olive
1 oignon
3 gousses d'ail
Sel
Poivre

Aïoli :
5 gousses d'ail
4 œufs
Sel
20 cl d'huile d'olive

La bourride est une spécialité typiquement provençale. Elle se déguste à Marseille et particulièrement au Miramar, restaurant de Jean-Michel Minguella, mais aussi à Sète et dans d'autres villes du sud...

Le poisson vedette de la recette, la baudroie, est doté d'une large tête et d'un corps plat. Elle est armée d'une large bouche, aux redoutables dents pointues. En outre elle est carnivore, et peut mesurer jusqu'à deux mètres !

Vous trouverez cet animal marin étêté sur l'étal de votre poissonnier. Sa chair devra être bien blanche, brillante et rosée autour de l'arête centrale. La meilleure saison pour la déguster est le printemps. La baudroie est appréciée pour sa saveur, mais aussi parce qu'elle s'apprête très facilement et tient admirablement à la cuisson.

Sa chair est dense et serrée, elle ressemble à de la viande. Pour preuves, elle se prépare parfois comme un gigot piqué d'ail ! Si vous décidez lors d'une recette de l'apprêter autrement, sachez qu'elle rend beaucoup d'eau en cuisant, il ne faut pas trop la mouiller pour la cuire.

Quant au fumet de notre recette, demandez à votre poissonnier de vous fournir quelques arêtes de poissons. Par ailleurs, Jean-Michel Minguella vous suggère aussi pour varier les plaisirs, de réaliser cette bourride avec d'autres poissons à chairs blanches comme : le merlan, le colin, la daurade, le saint-pierre et le loup.

Si par malchance, la mayonnaise de l'aïoli ne prenait pas à la main, passez-la dans votre robot ménager et ajoutez un glaçon pour émulsionner la sauce. C'est un remède miracle ! Lorsque vous dresserez le plat, parsemez sur les pommes de terre quelques pincées de persil haché.

En ce qui concerne la sauce, si vous décidiez de la réchauffer, remontez-la en chaleur au bain-marie, car dans une casserole posée directement sur le feu, elle risquerait de changer de consistance, les jaunes d'œufs coaguleraient, et votre sauce ne serait plus lisse...

Parez la baudroie. Préparez le fumet avec les arêtes de poissons dans 2,5 l d'eau. Épluchez l'oignon et l'ail. Faites-les revenir dans 2 c. à s. d'huile d'olive. Ajoutez les arêtes et cuisez pendant 20 min. Faites réduire. Passez-le à l'étamine et réservez les 2 l. Débitez 4 médaillons dans le poisson.

Faites pocher les médaillons de baudroie dans 1 l de fumet de poisson pendant 8 à 10 min. Retournez les médaillons en cours de cuisson. Réservez le poisson au chaud et réservez de nouveau ce fumet. Cuisez en même temps les pommes de terre dans l'autre litre de fumet.

Pour l'aïoli : épluchez 5 gousses d'ail et débarrassez-les de leur germe. Hachez-les. Ajoutez 4 jaunes d'œufs. Salez. Montez l'aïoli avec 20 cl d'huile d'olive. Réservez-en 1/3, pour le service final.

le baudroie

JEAN-MICHEL
MINGUELLA

Cuisson : 10 min

Reprenez le fumet de poisson que vous aviez réservé. Rectifiez l'assaisonnement. Passez-le à l'étamine. Ajoutez la crème liquide dans la casserole sur le feu. Laissez bouillonner pendant 2 à 3 min. Réservez le fumet crémé bien chaud.

Reprenez les 2/3 restant de l'aïoli, ajoutez 4 jaunes d'œufs. Remuez et délayez avec le fumet crémé de poisson chaud hors feu. Remuez cette sauce. Elle doit napper la cuillère. Puis remettez l'ensemble à feux doux en remuant. Passez au chinois fin. Gardez au chaud au bain-marie.

Avec un emporte-pièce cannelé, découpez des fleurons dans la pâte feuilletée. Dorez-les avec 1 jaune d'œuf. Enfournez-les à 220°C pendant 8 min. Veillez bien leur cuisson. Elle est très rapide. Avec une partie de la sauce, nappez le poisson dans l'assiette, gardez l'autre partie dans la soupière.

LAURENT BROUSSIER

Pot-au-feu de loup de me

4 personnes ★ **Préparation : 30 min**

4 pavés de loup de 150 g
4 os à moelle de 3 cm d'épaisseur
1 truffe
2 cl de jus de truffe
1 petit bottillon d'asperges vertes
20 cl de fumet de poisson
1 cuillère à café d'huile d'olive
1 feuille de laurier
1 pomme de terre
Huile de friture
Sel
Poivre

Légumes du pot-au-feu :
1 pomme de terre
2 carottes
2 navets ronds
2 branches de céleri
4 petits oignons frais

Décoration :
4 fleurs de céleri (facultatif)
Sel de Guérande

Spécifiquement français, le pot-au-feu est un plat d'origine paysanne. Il a le mérite de fournir à la fois un bouillon, de la viande et des légumes. Si les variantes sont nombreuses, celle de notre chef ne manque pas d'originalité : la viande est en effet remplacée par du poisson.

Le loup de Méditerranée appartient à la famille des serranidés. Ce poisson très apprécié est aussi appelé bar sur la côte Atlantique. Sur les côtes provençales, sa férocité légendaire lui a valu ce surnom imagé.

Surtout, demandez bien à votre poissonnier du loup sauvage de ligne et non d'élevage. Selon l'arrivage, vous pouvez le remplacer par de la dorade ou du denti.

L'ajout d'une truffe offre une autre particularité à cette recette. Ce champignon très recherché était déjà connu dans l'Antiquité. Les Égyptiens le dégustaient enrobé de graisse d'oie et cuit en papillote. Quant aux Grecs et aux Romains, ils lui prêtaient surtout des vertus

aphrodisiaques. De grosseur variable, la truffe est irrégulièrement globuleuse. Sa couleur est généralement noire ou brun sombre, parfois grise ou blanche. Son prix élevé s'explique par sa rareté. Depuis le début du XXᵉ siècle, la production des truffières françaises connaît une forte baisse.

Quant aux légumes, choisissez-les de préférence assez gros. Pour que les légumes verts conservent un bel aspect et leur chlorophylle, plongez-les une fois cuits dans de l'eau et de la glace. L'os à moelle quant à lui est un classique du pot-au-feu. Vous devez impérativement faire dégorger au préalable les tronçons d'os 24 h dans de l'eau froide, que vous changerez souvent.

Au moment de dresser l'assiette, commencez par les légumes, puis le poisson et enfin le bouillon. Ajoutez un peu d'huile d'olive, du sel de Guérande et des fleurs de céleri. Ce plat peut éventuellement être accompagné avec des toasts grillés aux cèpes.

Lavez les légumes du pot-au-feu et épluchez-les en gardant les fanes. Pour le céleri, coupez les branches en prenant soin de bien enlever les filaments.

Mettez les légumes à cuire dans 75 cl d'eau mélangée avec le fumet de poisson. Assaisonnez. Lorsque les légumes sont tendres, réservez-les séparément. Faites cuire vos asperges à part pendant 10 min à l'eau salée.

Pochez les morceaux de loup et les os à moelle, 7 à 8 min dans le bouillon des légumes. Ajoutez le jus de truffe, le laurier et la moitié de la truffe coupée en petits dés.

Cuisson : 35 min   **Dégorgement des os à moelle : 24 h**

Faites réchauffer les légumes dans le bouillon, en y ajoutant l'autre moitié de la truffe coupée en lamelles.

Lavez et essuyez la pomme de terre. Coupez-la en quatre sans l'éplucher, dans le sens de la longueur. Après l'avoir blanchie dans de l'eau légèrement salée, rafraîchissez-la pendant 2 min. N'oubliez pas de l'essuyer. Plongez-la ensuite dans l'huile bouillante.

Épongez ensuite les morceaux de pommes de terre avec du papier absorbant. Panez-les quand ils sont encore chauds avec le sel de Guérande. Puis disposez dans l'assiette les légumes, le loup, la moelle et les lamelles de truffe. Parfumez d'un filet d'huile d'olive.

LAURENT
BROUSSIER

Rouget aux écaille

4 personnes ★ **Préparation : 1 h 20**

4 rougets de 150 g pièce
80 g de petits pois frais
2 tomates
10 gousses d'ail
1 citron
20 g de fécule
1 branche de céleri
3 feuilles de basilic
8 olives noires de Nice
20 cl de crème fraîche liquide
40 g de beurre
2 cuillères à soupe d'huile d'olive
Sel
Poivre

Sauce vierge :
1 bonne cuillère d'huile d'olive
10 g de vinaigre de vin vieux
1 goutte de Tabasco
Sel
Poivre

Décoration :
8 hélicots de basilic
4 copeaux de parmesan
3 fleurs de céleri
Sel de Guérande

Apprécié depuis l'Antiquité, le rouget est un poisson fragile. Le temps de cuisson doit donc impérativement être respecté. Sa chair maigre est riche en protides, en iode, en fer et en phosphore. Le rouget de Méditerranée, qui possède trois écailles sous les yeux, est de couleur brun rouge à reflets vert olive. Selon le marché, vous pouvez le remplacer par de la dorade ou du saint-pierre. Si vous faites lever les filets par votre poissonnier, pensez à retirer les petites arêtes avec une pince à épiler.

Dans cette recette de poisson, l'ail est à l'honneur. Originaire d'Asie centrale, cette plante à bulbe de la famille des liliacées est connue pour ses vertus curatives. Son goût très fort s'atténue lorsqu'il est blanchi. Il suffit, après l'avoir émincé, de le plonger dans de l'eau froide et de porter à ébullition. Il est important de renouveler cette opération trois fois.

Au cours de cette préparation, vous devrez confectionner du beurre clarifié. Faites fondre doucement le beurre 5 minutes, afin d'enlever le petit-lait qui remonte en surface sous forme d'écume blanchâtre. Ainsi, l'ail ne brûlera pas en cuisson. Vous pouvez l'assaisonner avec du sel de céleri. Pour la pose des écailles, commencez toujours par la queue en remontant vers la tête.

La sauce vierge est un assaisonnement typique du Sud. Les tomates seront mondées et épépinées. Cependant, la sauce doit être simplement tiédie et non chauffée. Pour la sauce à la crème, vous pouvez l'alléger en la rectifiant. Il suffit d'ajouter une bonne cuillère à soupe de crème fouettée. Selon la saison, des petites fèves seront les bienvenues dans la sauce vierge.

Le rouget aux écailles d'ail est un plat raffiné qui devrait séduire les gourmets.

Écaillez, videz et lavez les rougets. Levez-les en filets avec un couteau à filet de sole. À l'aide d'une pince à épiler, enlevez les petites arêtes.

Émincez l'ail épluché en fines lamelles, et faites-les blanchir. Passez délicatement les pétales d'ail dans la fécule, puis posez-les sur la peau des filets graissée au beurre clarifié.

Faites cuire les petits pois 8 min à l'eau salée. Mettez-les à mariner dans l'huile d'olive avec les dés de tomates, céleri, citron pelé, les olives, le basilic ciselé, sel et poivre. Ajoutez ensuite les ingrédients de la sauce vierge. Faites tiédir la moitié de cette préparation.

l'ail sauce vierge

LAURENT
BROUSSIER

Cuisson : 15 min

Mixez l'autre moitié de la préparation, puis ajoutez la crème fraîche liquide. Laissez cuire doucement 5 min. Rectifiez l'assaisonnement.

Poêlez les rougets pendant 2 min à l'huile d'olive, en posant d'abord les filets côté peau puis en les retournant.

Dans une assiette, dressez la garniture, la sauce cuite et les rougets par-dessus. Ajoutez les copeaux de parmesan, les hélicots de basilic, les fleurs de céleri et le sel de Guérande.

DANIEL
ETTLINGER

Saint-Jacques cuite

4 personnes ★ **Préparation : 1 h**

12 coquilles Saint-Jacques moyennes
150 g de mesclun
Gros sel

Farce :
2 gousses d'ail
1 bouquet de persil plat
1 grosse échalote
1/2 piment frais
2 tranches de pain de campagne
1 pièce de cébette
100 g de beurre

1/2 citron
2 cuillères à soupe d'huile d'olive
Sel

Vinaigrette balsamique :
3 cuillères à soupe d'huile d'olive
1 cuillère à soupe de vinaigre balsamique
Sel
Poivre

Décoration :
Gros sel

L'originalité de cette recette méridionale réside dans la préparation des Saint-Jacques. Notre chef laisse, pendant la cuisson, la noix accrochée à la coquille. Très facile à réaliser, ce plat rappelle par ses ingrédients le Midi de la France.

La coquille Saint-Jacques est un gros coquillage vivant sur les fonds côtiers de l'Atlantique et de la Méditerranée qui se déplace en ouvrant et en fermant sa coquille. Plate d'un côté et bombée de l'autre, striée de rainures en éventail, elle mesure dix à quinze centimètres au moment de sa commercialisation. À l'achat, les coquilles doivent être fermées, si elles ne le sont pas, ne les consommez pas. Vous pouvez demander à votre poissonnier de les préparer sans sectionner le muscle. N'oubliez pas ensuite de les faire dégorger. Le gros sel sert à caler les coquilles lors de la cuisson.

Très appréciée en France, la noix blanche et ferme de ces coquillages, dévoile une saveur très fine. Pêchées réglementairement de la fin septembre au début du mois de mai, les Saint-Jacques servaient autrefois d'emblème aux pèlerins se rendant sur la route de Compostelle.

La farce aromatique que vous devez confectionner est primordiale. Elle apporte aux coquilles sa saveur légèrement acidulée. Selon votre marché, notre chef vous propose de l'agrémenter d'olives noires, de dés de citrons et de câpres.

Le mesclun est un mélange de jeunes pousses de laitues, originaires du Midi de la France. Sur les étals, vous le trouverez déjà préparé. Traditionnellement, il contient de la scarole, de la trévise, de la chicorée, de la mâche, du pissenlit, du cerfeuil, de la laitue feuille de chêne et du pourpier. Ce mélange frais et légèrement amer se marie idéalement à la vinaigrette balsamique.

Dans les assiettes, les Saint-Jacques en coquille et mesclun révèlent un judicieux mariage où la simplicité côtoie le raffinement.

Ouvrez les Saint-Jacques en glissant la lame d'un couteau entre les 2 coquilles, sans sectionner le muscle. Enlevez la partie plate.

Nettoyez-les en passant le doigt sous la poche noirâtre et tirez pour enlever la membrane et les barbes. Conservez les noix accrochées au muscle. Faites-les dégorger dans l'eau pendant 45 min pour enlever le sable et les impuretés.

Préparez les ingrédients de la farce en émincant en fines lamelles les gousses d'ail, l'échalote, le persil, le piment, la cébette. Coupez en petits dés le beurre et les tranches de pain.

Cuisson : 5 min

Dégorgement des coquilles : 45 min

Confectionnez la farce en mélangeant le beurre et le pain. Ajoutez tous les ingrédients et mélangez avec l'huile d'olive. Salez. Versez le jus de citron et mélangez le tout avec une cuillère.

Salez les Saint-Jacques. À l'aide d'une cuillère, décollez légèrement la noix sans retirer le muscle. Mettez une cuillère de farce dans chaque coquille et posez-les dans un plat recouvert de gros sel. Faites cuire au four, 5 min, à 250°C.

Lavez le mesclun. Préparez la vinaigrette avec le sel, le poivre, le vinaigre balsamique et l'huile d'olive. Mélangez au fouet. Dressez dans l'assiette, les coquilles posées sur le gros sel et servez à part le mesclun.

4 personnes ★★ **Préparation : 1 h**

8 sardines de lamparo
2 blancs de poireaux
1 côte de céleri
100 g de cèpes frais
24 moules de l'étang de Thau
3 cuillères à soupe d'huile d'olive
120 g de foie de baudroie
5 cl de vin blanc

1 citron
1/4 de botte de cerfeuil
10 g de beurre
1 pointe de piment de Cayenne
Sel
Poivre du moulin

La sardine qui aurait, selon une fameuse légende, bouchée le Vieux Port de Marseille, se retrouve dans notre recette, pêchée au lamparo. Cette méthode ancestrale de pêche a lieu de nuit. Les pêcheurs suspendent à l'avant de leur bateau une puissante lampe, pour attirer les poissons dans leur long filet. Les sardines sont alors d'une qualité exceptionnelle. Demandez à votre poissonnier de vous lever les filets. Ainsi, vous n'aurez plus qu'à extraire les dernières arêtes à la pince à épiler.

Les sardines sont d'élégants poissons de la famille des clupéidés, voisins du hareng. Leur robe habillée d'écailles aux jolies moires bleues argentées, est un gage de fraîcheur. Fragiles, elles doivent immédiatement être glacées. À défaut de sardines, vous pouvez utiliser des anchois frais.

Georges Rousset agrémente les sardines d'une sauce fine enrichie aux foies de baudroie ou "lotte". Ils servent de liant, et leur goût iodé rehausse la douceur du poireau.

On les utilise aussi dans les fameuses bourrides sétoises. D'aspect peu engageant, la lotte n'est jamais proposée entière. Ainsi, vous ne verrez sûrement pas sa tête sur l'étal du poissonnier.

Les moules du village de Bouzigues, situé au bord du bassin de Thau, relèvent avec brio la julienne. Elles sont plus fines et plus iodées que leurs cousines de l'Atlantique. La spécificité de leur culture sur cordes - et non en bouchots -, permet une croissance des plus rapides. Les moules achetées doivent être bien fermées. Jetez celles qui sont cassées ou ouvertes. Avant l'emploi, débarrassez-les de tous leurs filaments, vulgairement appelés "barbes" et plus scientifiquement "byssus". Grattez bien les coquilles pour éliminer les balanes incrustées.

Le Languedoc foisonne de recettes où la terre rencontre la mer. C'est pourquoi nos sardines s'accommodent de cèpes, présents dans le massif de Pézenas. La cuisine locale est très friande de ces champignons.

Retirez tête et arête centrale des sardines. Étendez-les sur un papier absorbant, séparez les filets. Salez, poivrez. Nettoyez les moules, cuisez-les 3 min au vin blanc. Une fois ouvertes, ôtez-les de leur coquille. Réservez le jus de cuisson (filtré) et la chair des moules.

Émincez en julienne les blancs de poireaux, la côte de céleri et les cèpes. Faites suer le tout dans 2 c. à s. d'huile d'olive sans coloration, salez. Mouillez avec le jus de cuisson des moules, et laissez cuire doucement pendant 6 min.

Étalez les filets de sardines sur le plan de travail. Recouvrez-les d'un peu de julienne. Roulez chaque filet comme une paupiette, que vous maintenez à l'aide d'une pique en bois. Réservez le jus de cuisson de la julienne.

à la sétoise

Cuisson : 15 min

Rangez les paupiettes de sardines dans un plat à four. Disposez dans le fond du plat de la julienne restante, pour le dressage final. Préchauffez le four à 200°C. Salez, poivrez. Couvrez d'un papier sulfurisé beurré. Enfournez pendant 6 min. Réservez au chaud.

Dénervez le foie de baudroie, mixez-le. Passez la pommade obtenue au tamis. Dans une casserole, portez à ébullition le jus de cuisson de la julienne. Liez ce jus avec les foies mixés.

Ajoutez le piment de Cayenne, le jus d'1 citron et 1 c. à s. d'huile d'olive. Fouettez pour délayer. Dressez 4 paupiettes par personne. Versez la sauce aux foies de baudroie en fond d'assiettes. Ajoutez julienne et moules entre les paupiettes. Décorez de cerfeuil.

Supions et rouget.

4 personnes ★★ **Préparation : 40 min**

6 rougets de 150 g
500 g de supions
2 cuillères à soupe d'huile d'olive
Sel
Poivre

Escalivada :
1 poivron rouge
4 tiges de cébette
1 aubergine
2 tomates

6 gousses d'ail
4 cuillères à soupe d'huile d'olive
Sel
Poivre

Aïoli d'oursins :
12 oursins
3 gousses d'ail
4 cuillères à soupe d'huile d'olive
1 cl de fumet de poisson

Les supions et rougets en *escalivada* sont un mariage entre terre et mer. Jean Plouzennec a choisi de les présenter sous forme de brochettes.

L'escalivada est une préparation à base de légumes grillés ou rôtis. Le poivron, la tomate, l'aubergine, les cébettes et l'ail rôti qui entrent dans sa confection sentent bon la Méditerranée. Vous n'aurez aucun mal à vous procurer tous ces légumes, disponibles toute l'année. Lorsque vous sortirez le poivron du four, enveloppez-le d'une feuille d'aluminium. Ainsi, il terminera sa cuisson et sa peau sera plus facile à ôter. Pour faire des quenelles d'aubergines, prenez une petite cuillère humide, prélevez une portion de caviar et façonnez-les avec une seconde cuillère.

Lors de l'achat, veillez à la qualité des rougets. Faites lever les filets par votre poissonnier, et n'oubliez pas de retirer toutes les arêtes. Cuisez toujours le côté peau avant, et plus longtemps que le côté chair. À défaut de rougets, vous pouvez vous procurer de la baudroie, qui supporte très bien les cuissons vives.

Entre les supions, les mini-calamars et les mini-poulpes, il y a peu de différence. Leurs noms diffèrent beaucoup selon les régions ou les saisons. Si vous n'arrivez pas à trouver de supions, remplacez-les par des blancs de calamars.

Sachez que les supions et rougets en *escalivada* peuvent se passer de l'aïoli d'oursins, fruits de mer souvent difficiles à trouver dans le commerce. Seuls les fervents gourmets le jugeront indispensable pour relever le plat.

Lors de l'ouverture des oursins, équipez-vous de gants épais. Celle-ci se fera avec des ciseaux pointus sur le haut, dans la partie molle qui entoure la bouche. Leur délicate saveur iodée parfumera et corsera davantage les brochettes.

Préchauffez votre four à 200°C. Nettoyez les légumes destinés à l'escalivada. Épépinez les tomates, coupez-les en quartiers. Enfournez l'aubergine 30 à 40 min, le poivron 30 min, les gousses d'ail en chemise 15 à 20 min et les cébettes 10 min. Réduisez la pulpe d'aubergine et 2 gousses d'ail. Réservez.

Les tomates sécheront au four durant 5 min, à 100°C. Salez, poivrez. Ajoutez 3 c. à s. d'huile d'olive.

Nettoyez puis essuyez les supions. Faites-les raidir à la poêle dans 1 c. à s. d'huile d'olive. Levez les filets de rougets avec leur peau, puis débitez-les en morceaux égaux. Veillez à enlever toutes les arêtes.

en escalivada

JEAN
PLOUZENNEC

Cuisson : 40 min

Sur des piques à brochettes, alternez supions et morceaux de rougets. Salez et poivrez. Faites-les cuire 2 à 3 min sur chaque côté, à la poêle dans 1 c. à s. d'huile d'olive.

Ajoutez 1 c. à s. d'huile d'olive dans le caviar d'aubergine aillé réservé. Dans vos assiettes de service, dressez une quenelle de caviar par personne. Formez des petits monticules avec tous les légumes et 4 gousses d'ail rôties.

Pour l'aïoli d'oursins, mélangez dans un récipient tiède 3 gousses d'ail rôties, en purée et le corail des oursins. Ajoutez le fumet de poisson tiède. Émulsionnez avec 4 c. à s. d'huile d'olive, et fouettez comme une mayonnaise. Nappez vos assiettes garnies avec cette sauce.

Viandes
Volailles

ANGEL
YAGUES

Agneau aux navet.

4 personnes ★ **Préparation : 40 min**

1,5 kg de selle d'agneau
1 kg de navets de Pardailhan
50 g de beurre
20 g de sucre
4 cuillères à soupe d'huile d'olive
4 cl de fond de veau
20 cl de vin blanc

1 branche de romarin
Sel
Poivre

Décoration :
4 grappes de groseilles
4 branches de romarin

Des navets noirs ? Ça n'existe pas. Et pourquoi pas… À Pardailhan, dans l'arrière-pays héraultais, les habitants sourient, l'été, devant l'air médusé des touristes. Dans ce petit village de 164 âmes, les anciens s'amusent en répondant aux questions. Assurément, il s'agit bien de la même plante potagère, cultivée pour sa racine charnue, allongée ou arrondie, jaune pâle ou blanche, souvent teintée de violet à la base des feuilles. Mais à Pardailhan, les navets ont la peau noire, dure et assez fluette. Aussi, les habitants estiment que les autres navets sont justes bons à faire des soupes ! C'est dire s'ils sont fiers. Certains se sont bien évertués à en planter sur des terres lointaines. En vain… Les navets étaient peut-être noirs, mais leur saveur n'avait rien de comparable aux plants d'origine. Ils sont uniques au monde… Et se dégustent légèrement caramélisés.

Si vous résidez loin de Pardailhan, inutile d'en chercher sur les marchés. La production et la vente sont unique-ment locales. Vous pouvez toujours réaliser cette entrée, avec des navets ronds ou longs. Le chef propose un autre accompagnement : la purée de céleri.

Respectez bien le temps de cuisson des filets d'agneau. Ces morceaux, très tendres et goûteux, ont tendance à sécher. Ils se consomment rosés tout comme les mignons de veau qui peuvent les remplacer.

Le romarin, plante aromatique méditerranéenne, de la famille des labiacées, est un clin d'œil supplémentaire à la Provence. Posée sur les filets, la branche apporte une odeur fortement aromatique. Selon la saison, vous pouvez décorer votre viande avec de l'estragon frais ou sec. Sa saveur dégage des parfums de garrigue.

Les groseilles apportent à ce plat une touche de couleur. Si vous préférez des framboises, le chef n'y voit aucun inconvénient. Il propose même d'ajouter à la décoration finale une petite tomate.

Désossez la selle d'agneau en ôtant l'os central pour récupérer les filets. Enlevez le gras et pelez bien la peau. Conservez les os. Réservez au frais.

Pour la confection du jus d'agneau, faites revenir les os avec 1 c. à s. d'huile d'olive. Déglacez au vin blanc, puis mettez le fond de veau et mouillez avec 25 cl d'eau. Ajoutez ensuite le romarin. Laissez réduire 10 min.

Lavez et épluchez les navets. Tournez-les pour leur donner une forme ovale. Faites-les cuire dans l'eau salée environ 10 min. Égouttez-les.

ANGEL
YAGUES

Cuisson : 30 min

Dans une poêle, faites colorer les navets avec le beurre et 2 c. à s. d'huile d'olive pendant 5 bonnes minutes. Ajoutez ensuite le sucre pour les caraméliser.

Faites dorer les filets d'agneau dans une poêle avec 1 c. à s. d'huile d'olive. Assaisonnez. Finissez la cuisson au four 5 min environ.

Après la cuisson, laissez reposer la viande 5 min. Découpez ensuite les filets en escalopes. Dressez-les dans une assiette et nappez-les avec la sauce. Ajoutez les navets. Décorez avec les groseilles et la branche de romarin.

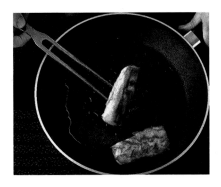

FRANCIS ROBIN

| 4 personnes | ★★★ | Préparation : 40 min |

1 selle d'agneau
500 g de pâte de phyllo
4 gousses d'ail
3 cuillères à soupe
d'huile d'olive
Sel
Poivre

Tomates à la provençale :
2 tomates
5 tranches de pain de mie
3 gousses d'ail
1/4 de botte de persil

Croûte d'herbes :
300 g d'épinards
300 g de blettes
1 gousse d'ail
3 branches de thym
1 cuillère à soupe
d'huile d'olive
Sel

Crème d'ail :
8 gousses d'ail
30 cl de lait
30 cl de crème fraîche

**Bouchons
de courgettes :**
2 courgettes
2 pommes de terre
5 cl de crème fraîche
liquide
1 petit fromage de
chèvre frais (50 g)

Jus d'agneau :
Os d'agneau
2 gousses d'ail
3 branches de thym

1 poireau
2 tomates
Sel
Poivre

Décoration :
Branches de thym

Fidèle à sa région des Bouches-du-Rhône, Francis Robin vous dévoile sa recette : l'agneau en croûte d'herbes. Il la prépare habituellement avec la chair très goûteuse d'un mouton mérinos d'Arles. Élevé en plein air, ce dernier part en transhumance à la belle saison. À l'origine, l'espèce était destinée à la production lainière. Aujourd'hui, elle se savoure à toutes les sauces. Par ailleurs, c'est une viande très prisée lors des fêtes Pascales.

La pièce de boucherie employée par notre chef se situe au-dessus des gigots, dans le bas du dos de l'animal. C'est une partie extrêmement tendre. À défaut de selle d'agneau, nous vous conseillons d'utiliser une épaule, que vous aurez pris soin de désosser. Vous conserverez l'os, et le concasserez pour préparer la sauce.

Dans cette recette, nous n'utilisons que le vert des blettes. Vous pouvez donc réserver leurs côtes pour une autre recette. Choisissez-les bien vertes, avec des petites feuilles. Lorsque vous les blanchirez avec les épinards, n'oubliez pas de les passer après cuisson sous l'eau froide, pour qu'elles conservent leur jolie couleur.

Pour ce qui est des courgettes, utilisez les plus petites, car les plus jeunes sont les meilleures ! Elles doivent être dures aux extrémités, et de couleur uniforme. Vous pouvez les conserver pendant une semaine dans le bac à légumes de votre réfrigérateur.

Francis Robin a incorporé dans son accompagnement un fromage de chèvre frais de son terroir, rafraîchissant et aigrelet au palais. Pour que la recette soit parfaite, blanchissez une douzaine de gousses d'ail. Le surplus vous servira pour la décoration. Vous dresserez dans chaque assiette un morceau d'agneau en feuille de brick décoré de thym, un bouchon de courgette au chèvre, une demi-tomate à la provençale, une pointe de crème d'ail et du jus de viande.

Désossez la selle, dégraissez-la au maximum. Dégagez les filets et badigeonnez-les avec 1 c. à s. d'huile d'olive. Salez et poivrez. Colorez-les à la poêle, de tous côtés. Laissez-les ensuite refroidir pendant 1 h au réfrigérateur.

Pour la croûte d'herbes, prélevez les feuilles d'épinards et le vert des blettes. Blanchissez-les à l'eau salée. Refroidissez-les. Pressez-les fortement pour exprimer l'eau. Hachez grossièrement au couteau. Liez-les avec 1 c. à s. d'huile d'olive, le thym et l'ail haché.

Pour le jus d'agneau, faites revenir os d'agneau concassés, ail haché, thym, vert de poireau et tomates. Mouillez avec 1 l d'eau, réduisez au 1/4 de litre. Salez, poivrez. Passez au chinois. Masquez les filets de viande avec la farce aux blettes et aux épinards.

roûte d'herbes

FRANCIS
ROBIN

Cuisson : 1 h 20   Réfrigération de la viande : 1 h

Huilez les feuilles de phyllo au pinceau enduit d'huile d'olive. Posez les filets dessus. Enveloppez-les. Colorez à la poêle, puis 10 min au four à 200°C. Pour la crème d'ail, blanchissez 8 gousses d'ail 3 fois, égouttez-les, ajoutez crème fraîche et lait, mixez et filtrez.

Coupez les courgettes en 4 "bouchons" de 3 cm : cannelez, et blanchissez à l'eau salée. Évidez-les. Cuisez 2 pommes de terre à l'eau salée, réduisez-les en purée. Ajoutez 2 c. à s. de crème réchauffée et le chèvre. Mélangez tout. Salez, garnissez les bouchées de cette farce.

Réduisez le pain de mie en chapelure. Ajoutez ail et persil hachés. Coupez les tomates dans la largeur, épépinez-les. Parsemez-les de chapelure. Enfournez-les à 200°C avec 4 gousses d'ail en chemise, pendant 8 à 10 min. Servez bien chaud.

CHRISTIAN
ÉTIENNE

Agneau rôti au jus d'ail

4 personnes   ★★   **Préparation : 1 h 15**

1,5 kg de selle d'agneau
1 cuillère à soupe d'huile d'olive
Sel
Poivre

Strates de légumes :
1 aubergine
1 courgette
2 tomates
1 oignon
2 fleurs de thym
50 cl d'huile d'olive
1/2 tête d'ail

Jus d'agneau :
1 carotte
1 oignon
1/2 tête d'ail
1 branche de céleri
1 branche de persil
1 branche de thym
1 feuille de laurier
1 cuillère à soupe d'huile d'olive

Décoration :
8 feuilles de basilic
Huile de friture

À travers ses produits, cette recette est un classique de la cuisine méridionale. La selle d'agneau qui se situe au-dessus des gigots, dans le bas du dos de l'animal, est une partie extrêmement tendre et savoureuse. Si vous éprouvez des difficultés pour lever les filets, demandez à votre boucher de les préparer. Notre chef insiste sur le temps de cuisson. Ces morceaux très goûteux, qui ont tendance à sécher, se consomment toujours rosés. Christian Étienne vous propose également d'accompagner les strates de légumes provençaux avec une pintade ou un pigeon.

Lors de la préparation du jus d'agneau, laissez l'ail entier. Pour saler, attendez le milieu de la cuisson.

Dans cette recette, toutes les saveurs de la Provence sont réunies. L'oignon se déguste ici en purée. Attendez qu'il soit blond pour ajouter l'eau.

La courgette se caractérise par sa forme allongée et sa couleur régulière, claire ou foncée selon les variétés.

La coupe de la tige doit être fraîche et blanche. Il est inutile ici d'éplucher les légumes. En revanche, il est important de gratter la peau de la courgette avant de la couper en rondelles.

Notre chef vous conseille vivement de poêler les courgettes avant les aubergines qui absorbent beaucoup d'huile. Originaire de l'Inde, ce fruit allongé ou arrondi n'a été introduit dans le Sud de la France qu'au XVIIᵉ siècle. Sa peau lisse et brillante recouvre une chair claire et ferme. Pour éviter que les rondelles soient trop huileuses, saisissez-les rapidement au moment du poêlage. Attendez que les légumes reposent dans le papier absorbant pour les saler et les poivrer.

Les feuilles de basilic doivent être plongées quelques secondes dans l'huile très chaude. Retirez-les de la friteuse à l'aide d'une écumoire. Synonymes du Sud, elles décoreront idéalement vos assiettes.

Levez les filets d'agneau avec un couteau à désosser en commençant par le dessus de la selle. Avec la pointe du couteau, longez délicatement l'os. Coupez la panoufle, c'est-à-dire le ventre et enlevez le gras. Réservez les os et la panoufle pour le jus.

À l'aide du couteau, parez à vif les filets pour enlever le gras.

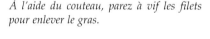

Confectionnez le jus avec les os et la panoufle découpée. Faites dorer 10 min avec 1 c. à s. d'huile d'olive. Ajoutez les dés de carotte, de céleri, l'oignon émincé, le thym, le laurier, le persil et l'ail. Laissez revenir 15 min. Recouvrez d'eau à hauteur et cuisez 1 h 30. Chinoisez. Assaisonnez et cuisez 5 min.

égumes provençaux

CHRISTIAN ÉTIENNE

Cuisson : 1 h 30

Faites frire les rondelles de courgette et d'aubergine dans l'huile d'olive. Faites suer l'oignon 15 min dans 1 c. à s. d'huile d'olive, assaisonnez et ajoutez de l'eau. Coupez en 2 les tomates, assaisonnez-les, ajoutez l'ail râpé, les fleurs de thym et 1 c. à s. d'huile d'olive. Laissez cuire au four 10 min.

Montez les strates de légumes dans un cercle en commençant par une rondelle d'aubergine, puis l'oignon, la rondelle de courgette et enfin la tomate. Au moment de servir, mettez le cercle au four pendant 5 min.

Salez et poivrez les filets. Cuisez-les avec 1 c. à s. d'huile d'olive environ 10 min. Coupez l'agneau et démoulez le cercle de légumes dans l'assiette. Ajoutez sur la viande les feuilles de basilic frites. Nappez avec la sauce en ajoutant au moment de servir un peu d'ail haché.

ALAIN
CARRO

Baronnade d'agnea

4 personnes　　　　　　　★★　　　　　　　**Préparation : 1 h 30**

Baronnettes :
1 selle d'agneau
250 g de figues sèches
1 crépinette de porc
Sel, poivre

Caviar d'aubergines :
1 kg de cèpes en bocal ou crus
1 kg d'aubergines moyennes
1 oignon et demi
3 cuillères à soupe d'huile d'olive
2 gousses d'ail
Sel, poivre

Coulis de tomates :
1 kg de tomates fraîches en grappe
6 feuilles de basilic
1 oignon
2 gousses d'ail
1 cuillère à soupe d'huile d'olive
1 bouquet garni : thym, laurier, persil

Fleurs de courgettes :
4 fleurs de courgettes avec leurs mini-courgettes
2 cuillères à soupe de lait
30 g de farine
Huile de tournesol pour la friture

Ce plat mérite que l'on choisisse une selle d'agneau issue de l'élevage des prés salés. L'herbage de ce sol est très iodé, ce qui confère à la chair de ces animaux, une saveur particulière et des plus goûteuses.

Celle-ci se conserve jusqu'à quatre jours dans la partie la plus froide du réfrigérateur, toujours enveloppée dans son papier d'origine. Proscrivez le papier d'aluminium ou les boîtes hermétiques. Une viande d'agneau est à point quand la chair est cuite encore rosée à l'intérieur, avec le jus qui coule quand on la découpe.

Cette délicieuse création d'Alain Carro met en vedette la plantureuse figue. Bien qu'elle soit sèche et un peu flétrie, elle ne manque pas de dévoiler tous ces charmes à la recette. La touche sucrée-salée qu'elle apporte à longtemps fait chavirer le cœur des méditerranéens. L'histoire a adoré la figue. Au Ier siècle de notre ère, Pline, historien romain, citait déjà vingt-neuf espèces différentes ! Et c'est vers 1700 que la figue gagna ses lettres de noblesse, elle grimpa sur la table du roi de

France Louis XIV, pour se substituer aux fraises qui le rendaient très malade.

Autres bruits de cuisine : saviez-vous que l'aubergine aimait l'agneau ? Et c'est pour cela que notre chef a tenu à les marier dans sa recette. Cette dernière, dans sa jolie robe améthyste, est d'origine indienne. Elle aurait effectué un long périple avant de s'épanouir dans le bassin méditerranéen où elle est devenue une valeur sûre de la cuisine du soleil. Et c'est au XVIIe siècle qu'elle s'implanta en Provence. Les bonnes aubergines sont de taille moyenne, elles doivent être très fermes, très lisses et soyeuses. Leur pédoncule doit être frais et non desséché.

La touche colorée sera apportée par le jaune et le vert printemps des fleurs de courgettes. Veillez à bien retirer les pistils, ils sont très amers. Attention les fleurs de courgettes sont très fragiles, ne les laissez pas trop longtemps à l'air libre. Une fois trempées dans le lait, passez-les vite dans un bain d'huile de tournesol à 160°C. Elles seront craquantes !

Formez la baronnette, en levant les filets situés au-dessus de la selle d'agneau. Ôtez tout le gras. Ouvrez-les en deux et formez deux carrés. Faites 2 rectangles avec les filets. Salez et poivrez sur les deux faces.

Formez un boudin avec les figues. Placez-le dans le milieu d'un filet que vous roulerez. Enveloppez la baronette dans la crépinette. Ficelez-la.

Pour effectuer le caviar, coupez les aubergines dans la longueur, strillez-les au couteau. Versez dessus 1 c. à s. d'huile d'olive. Préchauffez votre four pendant 10 min à 200°C. Enfournez pendant 40 min.

onfite à la crème d'ail

FRANCIS ROBIN

Cuisson : 2 h 40

Concassez les os de lapin pour faire le jus. Faites-les roussir dans 1 c. à s. d'huile d'olive avec oignon, ail, queues de persil et thym. Mouillez d'1 l d'eau, cuisez 1 h à feu doux, en écumant souvent. Réduisez le jus, passez-le au chinois. Montez-le avec 20 g de beurre.

Délayez la farine de pois chiches avec 25 cl d'eau froide et 1 c. à s. d'huile. Versez dans 75 cl d'eau bouillante salée et le reste d'huile d'olive. Remuez constamment. Étalez la panisse obtenue, refroidissez-la. Découpez-la en grosses frites, et rissolez à l'huile d'olive.

Épluchez l'ail, dégermez-le et blanchissez-le 3 fois. Égouttez. Ajoutez la crème, le lait et laissez frémir 25 min. Salez et poivrez. Mixez la sauce, filtrez-la. Dressez les cuisses de lapin avec les frites de panisse, sur un lit de courgettes. Nappez de jus et de crème d'ail.

Daub

1,5 kg d'épaule d'agneau
5 oignons
3 carottes
1/4 de botte de persil
8 gousses d'ail
2 feuilles de laurier
2 branches de romarin
1 orange
2 clous de girofle

Branches de thym
Noix de muscade
10 grains de poivre noirs
10 grains de poivre blancs
1 litre de vin blanc sec
2 cuillères à soupe d'huile de tournesol
200 g de petit salé
Sel
Poivre

Cette recette est un classique de la gastronomie provençale. Jean-Michel Minguella la détenait d'une amie cuisinière. La viande requise est une belle épaule. Du fait qu'elle soit près de l'os, elle confère une saveur plus prononcée à la daube.

À l'origine, cette spécialité était préparée avec du mouton. Aujourd'hui, celui-ci est tombé en désuétude, au profit de l'agneau jugé plus agréable au palais. Ainsi, Jean-Michel Minguella ne déroge pas à la tradition gastronomique. Il n'hésite pas à le remettre en vedette. Il préfère pour ce mets, utiliser un broutard à tout autre jeune ovin. La viande qu'il vous recommande de choisir est issue de l'espèce de Sisteron.

Si l'épaule faisait défaut, remplacez-la par du gigot. Vous prendrez soin de la désosser préalablement. Conservez les os de l'épaule ou du gigot, ils parfumeront bien le plat. Demandez à votre boucher de vous les débiter en petites pièces.

Quant aux aromates qui parfument la marinade, vous pouvez pour davantage corser son goût, ajouter quelques branches de thym. Cette plante accompagne très souvent l'agneau ou le mouton. Outre ces vertus antiseptiques et ses qualités aromatiques, le thym se retrouve souvent dans la composition du bouquet garni traditionnel. Le romarin, au puissant parfum, peu devenir envahissant, aussi il est préférable d'en utiliser une petite branche.

Afin de ne pas perdre trop de temps, Jean-Michel Minguella vous recommande de préparer la marinade la veille, car la cuisson de la daube est assez longue. Quant à l'accompagnement de cette spécialité avignonnaise, le chef vous suggère de fondantes pommes de terre sautées. Mais elle peut s'agrémentrer aussi de riz ou de pâtes. Servez ce plat très chaud, vous éviterez que le gras ne se fige en surface. Ainsi il sera toujours présentable !

Dégraissez l'épaule au maximum. Désossez, sciez les os et gardez un peu de viande autour. Réservez-les. Débitez des morceaux de viande de 40 g environ. Détaillez le petit salé en lardons.

Épluchez l'oignon, les carottes, l'ail. Piquez 1 oignon de 2 clous de girofle. Coupez les oignons restants, les tomates et les carottes en petits dés.

Dans une terrine, disposez la viande et les os. Ajoutez les carottes et oignons en dés, le laurier, l'oignon piqué des clous de girofle, une branche de romarin, le thym, le persil et les grains de poivre. Salez et ajoutez le zeste d'orange. Râpez la noix de muscade. Ajoutez le vin blanc. Laissez mariner 6 h.

vignonnaise

JEAN-MICHEL
MINGUELLA

Cuisson : 2 h 30   **Marinade de la viande : 6 h à 1 nuit**

Isolez le zeste d'orange de la marinade et réservez-le. Faites revenir séparément dans l'ordre suivant, dans la même cocotte : d'abord les lardons dans 2 c. à s. d'huile de tournesol et réservez-les, puis faites revenir les oignons et les carottes dans la même casserole. Réservez tout.

Égouttez les morceaux de viande et les os et faites-les dorer dans la même cocotte. Rectifiez l'assaisonnement.

Rassemblez tout dans la cocotte : la viande, les légumes et ajoutez le zeste d'orange préservé. Mouillez la marinade. Cuisez à feu doux pendant 2 h 30 environ. Servez très chaud avec l'accompagnement de votre choix.

JEAN-CLAUDE
VILA

Dodine de volaill

4 personnes ★★ Préparation : 1 h

1 poulet fermier de 1,7 kg
4 grosses gambas
4 oignons jaunes
1/2 cuillère à soupe d'huile d'olive
Sel, poivre

Sauce gambas :
4 petites gambas
1 oignon
8 gousses d'ail
10 cl de Rhum brun
10 cl de Banyuls vieux
10 cl d'huile d'olive
Sel, poivre

Fond blanc de volaille :
1 branche de céleri
1 oignon
1 gousse d'ail
1 branche de thym
1 feuille de laurier
1 cuillère à soupe d'huile d'olive

Décoration :
Ciboulette (facultatif)

Les Catalans apprécient particulièrement les mets à base de crustacés et de volailles. Notre recette, originaire de Rosas, petite cité balnéaire, située à la frontière espagnole, pas loin de Perpignan, est typique de cette région où la pêche aux gambas roses est réputée. Habituellement, les crustacés se retrouvent directement dans la sauce du poulet. Pour sa part, notre chef a revisité cette recette, en entourant la gambas à l'intérieur de la volaille. Avec le confit d'oignons, il a souhaité apporter une touche de douceur.

Au Moyen Âge, la dodine désignait une sauce, confectionnée uniquement à partir de graisse de volaille. Au fil des siècles, ce terme a évolué et s'est rapproché phonétiquement de l'adjectif dodu. Aujourd'hui, la dodine est synonyme de ballotine.

Le poulet est un jeune gallinacé d'élevage, à la chair tendre, blanche ou légèrement jaune selon son mode d'alimentation. Choisissez une volaille à la chair rebondie, ferme et peu grasse. N'oubliez pas, lors de la découpe, de dénerver le bas des cuisses. Avant le dressage, notre chef vous conseille de couper la base de la dodine. Ainsi, elle sera bien calée dans l'assiette. Vous pouvez également réaliser cette recette avec du blanc de dindonneau.

Ce plat du bord de mer accorde une place de choix aux grosses gambas. Leur fraîcheur dépend de la forme plus ou moins recourbée de la carapace, la fermeté de la chair et la facilité du décorticage. Enlevez l'intestin se trouvant sur le dos du corps. Ficelez ensuite les crustacés et les filets de poulet afin de les maintenir entiers et verticaux à la cuisson. Si vous optez pour des langoustines, cette opération est également valable.

La dodine de volaille aux gambas est un plat succulent. Sa présentation originale séduira vos convives.

Préparez le poulet en détachant les cuisses de la carcasse et en conservant le sot-l'y-laisse. Coupez le poulet en enlevant l'os du bréchet. Dégagez le filet avec l'aile, détachez l'aileron. Désossez entièrement la cuisse. Réservez les os et les abatis.

Confectionnez le fond de volaille. Faites revenir avec 1 c. à s. d'huile d'olive, les os et les abatis jusqu'à coloration. Ajoutez l'oignon et l'ail coupés en dés, le céleri, le laurier et le thym. Mouillez à l'eau, 5 cm au-dessus du niveau des os et laissez cuire 30 min.

Décortiquez les grosses gambas en conservant la tête accrochée au corps. Salez et poivrez les gambas. Roulez chaque morceau de volaille autour de la queue des gambas en laissant dépasser la tête. Ficelez-les. Transpercez la tête des gambas avec un pique en bois jusqu'à la queue.

ux gambas

JEAN-CLAUDE
VILA

Cuisson : 1 h 05

*Confectionnez la sauce gambas en les fai-
sant revenir entières avec 1 c. à. s. d'huile
d'olive. Faites suer l'oignon coupé et ajoutez l'ail émincé. Flambez au Rhum, ajoutez
le Banyuls, laissez réduire 3 min. Ajoutez
30 cl d'eau. Salez, poivrez. Faites réduire
20 min.*

*Faites cuire les dodines dans le jus de
volaille tamisé, à 170°C, pendant 35 min.
Faites compoter les 4 oignons coupés en
dés, avec 1/2 c. à s. d'huile d'olive, pendant
25 min. Réservez. Enlevez délicatement la
ficelle des dodines.*

*Mixez la sauce gambas. Tamisez. Ajoutez
du jus de volaille. Émulsionnez au mixeur
avec 5 cl d'huile d'olive. Rectifiez l'assaisonnement. Disposez dans l'assiette, une
dodine sur les oignons confits en les nappant de sauce gambas. Décorez avec la
ciboulette.*

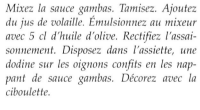

Épaule de lapin farci

4 personnes ★★★ **Préparation : 2 h**

2 hauts de lapin
25 cl de vin blanc sec
30 g de beurre
1 carotte
1 oignon
2 gousses d'ail
1 bouquet garni : thym frais, laurier, persil
1 crépinette de porc

Farce :
Foies et rognons des lapins
100 g de petit salé (1 tranche)
50 g de maigre de veau
200 g de champignons de Paris

1 bouquet de persil
2 gousses d'ail
20 g de beurre
1 oignon
Sel, poivre

Pain perdu :
1 baguette de pain dur
200 g d'abricots confits
1 œuf
2 cuillères à soupe de lait
10 g de beurre
1 bouquet de romarin

Cette création, nous la devons au chef, Alain Carro, qui remporta un prix, lors du fameux concours marseillais, en 1998 : "Mangez du lapin !" Avec la découpe de très haute volée de ce lapin et son double mode de cuisson : poêle et four, vous éblouirez vos amis.

La découpe des carrés est très méticuleuse et mérite le choix d'excellents lapins, les os doivent êtres solides. Optez, par exemple pour le lapin angevin. À défaut, un lapin fermier fera l'affaire. Si vous avez la possibilité de vous procurer uniquement les avants de lapin, c'est encore mieux. Pour garantir la touche moelleuse, notre chef enroule les épaules dans de la crépinette de porc. De plus, cette astuce scellera correctement les épaules. Si vous n'en possédez pas, fermez avec un pique en bois.

L'accompagnement du pain perdu aux abricots donne une pointe d'acidité. Elle confère à ce plat, une note exotique sucrée-salée très raffinée. Si vous voulez l'accentuer, notre chef, vous recommande d'ajouter, lors de la confection du jus avec les os, une écorce d'orange. Cette saveur se retrouve très souvent dans le bassin méditerranéen, par exemple au Maroc, dans certains *tajines*. En outre, si vous aviez oublié que nous étions bien en contrées méridionales, la présence du romarin vous le rappellera. Ce dernier se cueille tout autour de la Méditerranée, sur les sites calcaires, fortement ensoleillés. C'est une espèce endémique de la garrigue.

Si vous avez des invités esthètes sensibles à la couleur, notre chef vous propose de rajouter dans les assiettes, des tomates cerises en grappes que vous passerez à la friture. Sans vous brûler, vous soulèverez délicatement leur peau vers le haut, car c'est extrêmement élégant dans le plat.

Détachez les épaules de lapin. Retirez les omoplates. Séparez bien toutes les chairs et mettez-les à plat afin de les garnir de farce ultérieurement. Réservez les têtes et les os de lapin.

Manchonnez des petits carrés. Faites apparaître le haut des côtes et égalisez les os au couteau. Ne récupérez que les côtes premières.

Faites revenir dans 10 g de beurre, l'oignon émincé, l'ail en lamelles, la carotte, le bouquet garni avec tous les os et tous les restes de lapin. Ajoutez le vin blanc, faites s'évaporer puis mouillez d'eau jusqu'à hauteur. Cuisez pendant 15 à 20 min à feu doux. Réservez le jus.

et ses petits carrés

ALAIN CARRO

Cuisson : 1 h 10

Pour la farce, découpez en dés les abats, le petit salé, le veau et les champignons. Hachez oignon, ail et persil. Saisissez à la poêle dans 20 g de beurre. Assaisonnez de sel et de poivre.

Farcissez les épaules et enveloppez-les dans la crépinette. Poêlez l'épaule dans 10 g de beurre pendant 5 min. Enfournez à 200 °C avec le jus, pendant 30 min. Arrosez souvent. Réservez. Juste avant le dressage final, poêlez les carrés dans 10 g de beurre 5 min.

Taillez des tranches de pain. Trempez-les dans l'œuf battu, le lait et des brins de romarin. Poêlez vos tranches de pain perdu dans le beurre. Surmontez-les de lamelles d'abricots et de brins de romarin. Disposez les épaules au-dessus des carrés. Nappez uniquement les carrés de jus.

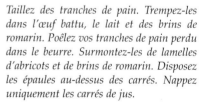

DANIEL
ETTLINGER

Étouffée de perugine

4 personnes	★★	Préparation : 30 min

8 saucisses perugine
25 g de riz arborio
8 cl de vin blanc
300 g de petits pois
2 gros oignons
4 gousses d'ail violet
4 petites carottes
1 échalote

1 bottillon de cébette
75 g de beurre
1,5 cl de fond blanc
50 g de parmesan râpé
2 cuillères à soupe d'huile d'olive
Sel

L'étouffée de *perugine* est une spécialité niçoise. Daniel Ettlinger a souhaité, à travers cette recette, dépasser la frontière transalpine. Pour accompagner les saucisses, il a choisi un apprêt d'origine italienne, le risotto.

Les *perugine*, sont préparées encore artisanalement. Ces saucisses apportent à ce plat leur saveur légèrement relevée et épicée. Il est donc inutile d'ajouter du poivre.

Pour notre chef, la réussite du risotto est étroitement liée au choix du riz. Il vous conseille la variété italienne arborio. De très bonne qualité, ce riz a l'avantage de ne pas éclater à la cuisson. Pour cette recette, le risotto est nacré au beurre et à l'échalote. Quand il devient translucide, déglacez-le hors du feu au vin blanc afin de le faire gonfler.

La cuisson du riz doit être particulièrement surveillée. Le fond blanc que vous ajoutez régulièrement en cours de cuisson doit être chaud et bien dosé. Notre chef

vous livre un secret : le riz se sale toujours au trois quart de la cuisson.

Un risotto sans parmesan est impensable. Ce roi des fromages italiens est un AOC de lait de vache partiellement écrémé à pâte pressée cuite et à croûte naturelle graissée. Il se caractérise par une saveur lactique boucanée, fruitée, salée parfois piquante.

Avec la présence des petits pois, Daniel Ettlinger nous ramène en Provence. Cultivés dans le Sud-Est de la France, vous les rencontrerez sur les étals à partir du mois de mai. À l'achat, les cosses doivent être lisses et d'un vert brillant. Elles s'écossent facilement et les graines n'ont pas besoin d'être lavées.

Notre chef vous conseille vivement de servir ce plat dès qu'il est prêt dans une assiette creuse. L'étouffée de *perugine* et risotto est un plaisant mariage entre les traditions culinaires niçoises et italiennes...

Épluchez les oignons et coupez-les en quartiers. Faites-les suer avec 1 c. à s. d'huile d'olive et les gousses d'ail en chemise, pendant 2 à 3 min.

Faites dorer les perugine avec 1 c. à s. d'huile d'olive pendant 5 min. Incorporez les oignons et les gousses d'ail. Laissez cuire 10 min puis ajoutez les carottes coupées en sifflets et laissez cuire 10 min. Mettez la cébette coupée en 2. Réservez le vert.

Pour le risotto, faites suer l'échalote hachée finement avec 50 g de beurre pendant 5 min.

et risotto

DANIEL ETTLINGER

Cuisson : 35 min

Ajoutez le riz. Remuez-le avec le beurre et l'échalote pour qu'il devienne nacré. Déglacez avec le vin blanc et laissez gonfler.

Mettez le riz en cuisson à feu doux en le mouillant régulièrement avec le fond blanc pendant 18 min. Écossez les petits pois et faites-les blanchir dans de l'eau salée pendant 6 min.

Mélangez le riz au restant de beurre et de parmesan râpé. Ajoutez le vert de cébette coupé. Tranchez les saucisses. Faites réchauffer les carottes et petits pois dans le déglaçage des perugine. Dressez dans l'assiette, le risotto, les perugine, l'ail, la purée d'oignons et les légumes.

JEAN
PLOUZENNEC

Gigotin d'agneau catalar

4 personnes   ★★★   **Préparation : 1 h**

1 gigot d'agneau catalan
2 œufs
3 cuillères à soupe de miel liquide
100 g de pignons de pin
1 crépine de porc
2 cuillères à soupe d'huile d'olive
Sel

Farce :
1 poignée d'épinards frais
6 gousses d'ail
1 cuillère à soupe d'amandes sèches brisées

1 cuillère à soupe de raisins blonds secs
1 œuf
1 cuillère à soupe de fromage frais de vache
1 tranche de pain rassis
2 cuillères à soupe d'huile d'olive
1 pincée de cannelle en poudre
1 botte de ciboulette
1 botte de persil
2 cuillères à soupe de Banyuls
Sel
Poivre

Accompagnements :
Ragoût de fèves et petits pois :
1 kg de fèves fraîches
1 kg de petits pois extra-fins frais
1 petit boudin noir
4 tiges de cébette
2 petits oignons
80 g de ventrèche non fumée
30 g de chocolat noir à cuire (non sucré)
20 cl de fond blanc
1 cuillère à soupe d'huile d'olive
Sel, poivre

Bouquet garni :
Thym
Persil
Menthe
1 petit bâton de cannelle

Poires au vin :
2 poires louise-bonne
25 cl de vin rouge Côte-du-Roussillon
1 cuillère à soupe de miel chaud
1 cuillère à soupe d'huile d'olive
Gingembre

La gastronomie catalane est sophistiquée mais très accessible. À la fois traditionnelle et moderne, la recette d'agneau que vous propose Jean Plouzennec ornera de manière originale les tables de fêtes Pascales.

Souvent présenté entier et rôti, le gigot est ici complètement désossé. Notre chef privilégie un animal de sa région. L'agneau catalan appartient à la race des moutons "rouges du Roussillon", élevés dans la plaine et dans les montagnes pyrénéennes. Un gigot de première qualité doit être bien charnu et clair. La graisse qui l'enrobe sera bien blanche, et l'os sera fin.

Afin de lever les pièces de viande pour notre recette, spécifiez à votre boucher que vous désirez un gigot entier et non raccourci. À défaut d'agneau de lait, notre chef vous conseille de substituer le gigot par de l'épaule. Lorsque vous enfournerez les gigotins, beurrez le plat pour qu'ils n'attachent pas !

Comme les autres fruits secs, les pignons de pin enrichissent très souvent la gastronomie catalane. Ils donnent aux gigotins une consistance craquante en bouche.

Le ragoût de fèves agrémenté de la célèbre boutifare, un boudin noir, apporte une saveur très prononcée à cet accompagnement. Par sa pointe d'amertume, le chocolat relève la douceur des fèves. Celles-ci étaient baptisée "le manger des dieux" par un illustre gastronome français de la fin du XVIIIe siècle, Brillat-Savarin. Ces dernières sont cultivées en abondance dans le Languedoc-Roussillon. Fraîches et non écossées, elles ne se conservent guère plus de cinq jours au réfrigérateur.

La présence de la cannelle et du chocolat atteste que nous ne sommes pas loin de Port-Vendres, l'antique port de la route des épices. Cependant, dans notre recette, ce vin doux naturel s'utilise avec parcimonie. Si vos raisins sont vieux et secs, faites-les macérer deux minutes dans du Banyuls chaud. Ils s'en gorgeront plus vite et seront plus moelleux. Enrobez les poires épluchées d'une fine pellicule de miel, salez et poivrez et poêlez-les, puis pochez-les dans le vin 10 minutes : c'est exquis !

Désossez le gigot en suivant les muscles, de façon à obtenir 3 gigotins de même taille. Réservez os et restes de petits bouts de viande pour la cuisson au four. Hachez le jarret. Faites macérer les raisins dans le Banyuls, puis égouttez-les. Faites cuire l'œuf de la farce afin qu'il soit dur.

Faites revenir le pain en dés dans 1 c. à s. d'huile d'olive, ainsi que les épinards. Hachez-les, de même qu'1 demi-œuf dur, les raisins égouttés, le persil et la ciboulette. Ajoutez jarret haché, amandes, cannelle, ail rôti écrasé, fromage frais, sel et poivre. Mélangez tout.

Farcissez les gigotins avec le mélange obtenu. Enveloppez-les en faisant 2 tours avec la crépine. Salez. Poêlez les gigotins côté chair 3 min dans 2 c. à s. d'huile d'olive, à feu vif pour les dorer. Préchauffez votre four à 200°C.

n croûte de pignons

JEAN
PLOUZENNEC

Cuisson : 40 min

Pour l'accompagnement : écossez les fèves, débarrassez-les de la première peau. Après les avoir blanchies à l'eau bouillante salée puis refroidies, écossez les petits pois. Émincez les cébettes et les oignons. Coupez 8 rondelles de boudin de 5 mm d'épaisseur. Découpez la ventrèche en lardons.

Faites revenir dans 1 c. à s. d'huile d'olive les oignons, les cébettes, les lardons, et le boudin jusqu'à ce qu'il se défasse. Ajoutez les fèves et les petits pois, mouillez le tout avec le fond blanc. Ajoutez le chocolat, le bouquet garni, sel et poivre. Laissez mijoter 10 min.

Faites une meringue en montant 2 blancs d'œufs avec une pincée de sel au batteur. Mélangez les blancs avec 3 c. à s. de miel chaud. Couvrez les gigotins en faisant une couche de 1 cm. Parsemez-les de pignons. Enfournez pendant 15 min à 180°C. La viande doit être rosée.

GEORGES ROUSSET

Gigotin de chevreau

4 personnes ★ **Préparation : 35 min**

1 arrière de chevreau de 1,2 kg
16 baies de genièvre
7 gousses d'ail
2 brindilles de thym
1 oignon
2 cuillères à soupe d'huile d'olive
Sel
Poivre

Chichoumay :
1 aubergine
1 courgette
3 tomates
6 cébettes
2 gousses d'ail
1 feuille de laurier
3 feuilles de basilic
6 cuillères à soupe d'huile d'olive très parfumée
6 cuillères à soupe d'huile d'olive pour cuisson
Sel
Poivre

Les Languedociens affectionnent le chevreau, surtout lorsqu'il a atteint ses sept semaines. Très saisonnière et d'une facilité enfantine, la recette de notre chef sera réalisée de préférence entre février et avril.

Relativement ferme et faiblement calorique, la viande de chevreau présente un goût assez prononcé. À défaut de chevreau, vous pouvez apprêter un gigot d'agneau selon le même procédé. Le genièvre quant à lui, parfumera notre recette car la garrigue languedocienne en regorge. Cette baie aromatique, de saveur un peu résineuse mûrit sur un buisson épineux appelé "genévrier". Elle relève aussi admirablement les plats de gibiers.

La chichoumay qui accompagne le gigotin est l'équivalent d'une ratatouille sans poivron. L'aubergine, qui a des origines indiennes s'est implantée en Provence au XIIe siècle. Choisissez-la joufflue et bien ferme. Saviez-vous qu'autrefois, parce qu'elle appartenait à la famille des solanacées comme la belladone toxique, elle fut surnommée *mala insana*, "le fruit malsain". Aujourd'hui, l'aubergine s'allie volontiers à la courgette et à la tomate. Procurez-vous ces dernières en grappe, car se sont les plus goûteuses. Elles sont commercialisées de juin à octobre. Il semblerait que la tomate soit le légume préféré des Français.

Les courgettes, cucurbitacées de la même famille que les citrouilles et les concombres, font aussi partie du trio vedette de la cuisine du soleil ! Les meilleures sont les plus petites. Elles doivent être bien dures au toucher. La courge est l'un des plus vieux légumes que l'humanité connaisse. Une fois de plus, ce sont les Italiens qui nous initièrent à la bonne saveur de ces légumes ! Au XVIIIe siècle, ils auraient eu l'idée de mitonner des courges cueillies avant leur maturité… La courgette fit ainsi son entrée dans le monde de la gastronomie.

Épluchez 2 gousses d'ail, coupez-les en bâtonnets et laissez-les durcir 10 min au congélateur. Piquez le gigotin de chevreau au couteau, et introduisez dans les entailles les baies de genièvre et les bâtonnets d'ail. Salez, poivrez.

Posez le gigotin dans un plat enduit de 2 c. à s. d'huile d'olive. Préchauffez le four à 180°C. Enfournez le gigotin. Ajoutez l'oignon en morceaux, 5 gousses d'ail en chemise et le thym. Faites cuire 20 min. Retournez souvent et arrosez de jus de cuisson.

Lavez courgette et aubergine, coupez-les en bâtonnets de 4 cm sur 1 cm et blanchissez-les séparément, 2-3 min. Égouttez-les aussitôt. Mondez et épépinez les tomates, coupez-les en dés. Rincez les cébettes et détaillez-les en petits fûts de 4 cm.

t chichoumay

GEORGES
ROUSSET

| Cuisson du gigotin : 20 min | Cuisson de la chichoumay : 30 min | Congélation de l'ail : 10 min |

Faites chauffer l'huile d'olive pour cuisson dans une casserole. Faites sauter successivement dans l'huile chaude les morceaux de courgette, d'aubergine et de cébettes pendant environ 5 min. Puis rassemblez le tout dans la casserole.

Ajoutez dans les légumes 2 gousses d'ail écrasées, laurier, sel et poivre. Laissez cuire doucement pendant 5 min (Les légumes doivent rester croquants). En fin de cuisson, ajoutez tomates en dés, basilic ciselé, huile d'olive parfumée. Laissez compoter 5 min.

Lorsque la cuisson du gigotin est terminée, retirez le plat du four et déglacez le jus à l'eau. Juste avant le service, arrosez la viande avec le jus de cuisson et un bon filet d'huile d'olive. Entourez-la de chichoumay bien chaude.

JEAN-CLAUDE VILA

| 4 personnes | ★ | Préparation : 45 min |

8 joues de porc
200 g de penne
50 g de pignons de pin
20 cl de crème fraîche liquide
1 oignon jaune
2 gousses d'ail
50 g de poudre de cacao
20 cl de vin rouge
1 branche de thym
1 feuille de laurier
2 cuillères à soupe de saindoux

100 g d'emmental râpé
5 cl d'huile d'olive
Sel, poivre

Repère :
250 g de farine
1 cuillère à café d'huile d'olive
Sel

Décoration :
Pluches de cerfeuil (facultatif)
Poudre de cacao

À Perpignan, les jeunes mariés se retrouvent pour fêter l'évènement au Clos des Lys entourés de leur famille et invités. Cet établissement, créé par Jean-Claude Vila et son épouse, est renommé dans la région pour sa gastronomie traditionnelle catalane.

Attaché à ses racines, notre chef excelle dans la préparation des joues de porc. Dans cette recette typique, elles sont cuites à l'étouffée dans une cocotte avec légumes, oignon, ail et vin.

La conquête du Nouveau Monde se retrouve dans ce plat catalan. En effet, le cacao, ingrédient indispensable à la confection des joues de porc, fut introduit en Espagne en 1524. Extrait des fruits du cacaoyer, un arbre tropical de quatre à douze mètres de hauteur, ce produit dévoile sa légère amertume. Incorporée au dernier moment, la poudre de cacao, héritage culinaire des Rois de Majorque, apporte sa couleur et son goût spécifique.

Vous pouvez demander à votre charcutier de désosser les joues.

Selon vos goûts, vous pouvez remplacer ces morceaux de porc par de la macreuse ou du jarret de bœuf.

Pour cette recette, la cocotte est lutée : en d'autre terme, son couvercle est fermé hermétiquement par une pâte pendant la cuisson. Ce repère, à pâte molle, est composé de farine et d'eau. Notre chef, soucieux de la présentation, ajoute une pincée de sel pour la colorer et un filet d'huile d'olive pour la rendre moins sèche.

Pour accompagner les joues de porc, Jean-Claude Vila a souhaité rehausser le côté moelleux en faisant intervenir les *penne*. Leur consistance légèrement craquante est accentuée par la présence des pignons grillés. Très énergétique, cette graine oblongue se caractérise par son goût résineux et corsé. Il rappelle celui de l'amande par laquelle il peut être remplacé.

Les joues de porc du Clos des Lys est un hommage à la Catalogne où aujourd'hui encore les traditions culinaires rappellent le prestigieux passé de cette région.

Parez les joues de porc. Faites-les revenir avec 1 c. à s. d'huile d'olive et le saindoux. Ajoutez l'oignon émincé. Faites dorer et ajoutez les gousses d'ail émincées.

Déglacez au vin rouge. Ajoutez le thym, le laurier et le cacao. Déposez dans une cocotte, les joues, la sauce au vin et la garniture. Mouillez à hauteur. Salez, poivrez.

Confectionnez le repère en mélangeant à la main la farine, le sel, l'huile d'olive avec 7 cl d'eau jusqu'à l'obtention d'une pâte. Donnez-lui la taille de la circonférence de la cocotte et disposez-la sur le rebord. Refermez avec le couvercle. Mettez au four, à 180°C, pendant 1 h 10.

Cuisson : 1 h 20

Faites sauter les pignons avec 1 c. à s. d'huile d'olive.

Dans l'eau salée, faites cuire les penne al dente. Égouttez-les. Mettez dans un poêlon les pignons. Versez la crème fraîche. Faites réduire 1 min. Ajoutez délicatement les penne. Rectifiez l'assaisonnement.

Saupoudrez les penne avec l'emmental. Mettez au four, position gril, 1 min. Découpez le repère à l'aide d'un couteau. Dressez dans l'assiette, les joues, nappez-les de sauce, décorez avec le cerfeuil et le cacao. Servez à côté les penne.

LAURENT BROUSSIER

Lapin rôti à l'origan

4 personnes ★ **Préparation : 25 min**

1 lapin de 1,7 kg
4 artichauts piquants
300 g de pommes de terre rattes
12 tomates grappes
400 g de petits pois frais
4 échalotes
1 tête d'ail frais
10 g d'origan sec
2 feuilles de menthe "ricqlès"
20 cl de vin blanc

20 cl de Noilly Prat
20 cl de porto
50 cl de jus de veau
3 cuillères à soupe d'huile d'olive
Sel
Poivre

Décoration :
Branches de thym citronné

Il existe de nombreuses façons de cuisiner le lapin. Cependant, la plupart des recettes proposent de le préparer en sauce. C'est oublier un peu vite que rôtie, la chair du lapin, même si elle est peu grasse, absorbe davantage les graisses de cuisson.

Facile à réaliser, le lapin rôti à l'origan est surtout l'occasion de découvrir un plat aux saveurs toutes méditerranéennes. Si l'huile d'olive est essentielle dans cette préparation, les autres ingrédients jouent aussi leur rôle : lors de la cuisson, ils vont imprégner la chair et parfumer la sauce de leurs sucs.

L'origan, qui avec le thym symbolise les herbes de Provence, est une variété sauvage de la marjolaine. Vous pouvez le remplacer par de la sarriette, une autre plante aromatique de la famille des labiées, originaire du Sud de l'Europe. Quant à la menthe "ricqlès", très forte, elle peut être substituée par de la menthe classique.

Pour la réalisation de cette recette, vous allez devoir tourner souvent la viande et l'arroser. Si le four est très chaud, ajoutez un peu d'eau. Pour faciliter le maniement, vous pouvez aussi couper le lapin en deux dans le sens de la longueur. La chair ayant tendance à sécher facilement, incisez la jointure des pattes avant, et farcissez-la avec un petit morceau de beurre.

Pour la maraîchère, il est inutile de peler les légumes. Au cours de la cuisson, leurs sucs vont tomber dans la sauce. Il est donc impératif de les surveiller. En effet, les garnitures brûlées donneraient de l'amertume à la sauce. Juste avant de déglacer, pensez à retirer la graisse et récupérez les sucs.

Au dernier moment, vous pouvez arroser votre plat d'un jus de citron pour rehausser le goût du lapin. Selon la saison, n'hésitez pas à ajouter dans la maraîchère des cèpes coupés en deux. Pour la décoration, disposez les branches de thym citronné. Elles rappelleront l'origine provençale de ce plat exquis.

Coupez le lapin en 4 en prenant soin d'enlever le foie, les rognons et la tête.

Assaisonnez le lapin d'origan, salez et poivrez. Dans un sautoir, versez 2 c. à s. d'huile d'olive, posez le lapin et faites cuire environ 40 min au four à 180°C.

Pendant ce temps, écossez les petits pois. Faites-les cuire 4 à 6 min dans l'eau salée. Lavez les pommes de terre et les tomates grappes. Enlevez les premières feuilles des artichauts. Puis coupez les artichauts en 2 sans oublier de biseauter les queues.

maraîchère provençale

LAURENT
BROUSSIER

Cuisson : 55 min

Dans le sautoir du lapin, ajoutez tous les légumes ainsi que l'ail et les échalotes en chemise. Versez un filet d'huile d'olive. Continuez la cuisson, en arrosant souvent avec le jus. Enlevez au fur et à mesure les légumes cuits, excepté l'ail.

Sortez le lapin et déglacez le sautoir avec le vin blanc, le porto et le Noilly Prat. Laissez réduire environ 10 min. Ajoutez le jus de veau et 1/2 verre d'eau. Remuez bien pour détacher les sucs. Rectifiez l'assaisonnement, passez au chinois et réservez.

Faites suer les petits pois avec les feuilles de menthe ciselées. Videz ensuite les tomates et garnissez-les avec les petits pois. Sur un plat, disposez le lapin avec les légumes, garnissez de sauce. Décorez avec les tomates et le thym citronné.

ANGEL
YAGUES

Parmentier de lapin

| 4 personnes | ★★ | Préparation : 1 h 30 |

1 lapin de 1,2 kg
1 poivron rouge
1 poivron vert
5 pommes de terre
1 boîte de tomates pelées
1 oignon
250 g de haricots verts
250 g de carottes
2 gousses d'ail
25 cl de vin blanc

1 cuillère à soupe de persil
2 branches de thym
10 cl de lait
20 cl d'huile d'olive
Sel
Poivre

Décoration :
4 branches de thym
4 tomates grappes

Le hachis Parmentier est un plat du terroir français à base de pommes de terre et de viande hachée. Il tire son nom d'Antoine-Augustin Parmentier, pharmacien militaire et agronome. Considérée pendant longtemps comme un aliment pour bétail ou pour indigents, la pomme de terre devint à la fin du XVIIIᵉ siècle, sous l'impulsion de Parmentier, un aliment de base, sain et bon marché. Dans cette recette, l'huile d'olive apporte toutes ses senteurs à la purée.

Pensez à bien enlever tout le gras du lapin quand vous le désossez. Il est recommandé de faire cuire le foie et les rognons en priorité pour qu'ils dégagent leurs sucs. Ils se consomment toujours rosés. Pour les colorer, farinez-les avant la cuisson.

Le lapin peut être remplacé par un perdreau. Une astuce pour faciliter le hachage de la chair : attendez la fin de la cuisson pour le faire. Le chef vous déconseille d'utiliser le mixeur. La chair risque en effet d'être désagréable en bouche. Angel Yagues insiste en rappelant que la subtili-

té de ce plat est de sentir tous les morceaux, mélangés aux poivrons.

Pour confectionner le jus du lapin, vous pouvez couper les os afin d'en extraire les sucs. Au moment de dresser l'assiette, versez la sauce uniquement sur les abats.

Le poivron apporte à ce plat sa saveur méditerranéenne. Ce fruit, issu d'une variété de piment doux, est souvent utilisé comme légume, cuit ou cru. À l'achat, il doit être bien brillant. Le thym pousse à l'état sauvage dans la garrigue languedocienne. Cette plante vivace et aromatique, à petites feuilles vert grisâtre, se ramasse au mois de mai et se conserve toute l'année.

N'oubliez pas lors de la préparation, de découper le chapeau des tomates grappes. Salez et arrosez-les d'un filet d'huile d'olive. Laissez cuire au four à 200°C.

Pour la décoration, le chef conseille de récupérer quelques carottes du jus de lapin et de les présenter dans l'assiette.

À l'aide d'un hachoir, découpez le lapin en séparant d'abord les cuisses. Avec un couteau, détachez la chair. Conservez le coffre du lapin non désossé et tous les os pour le fond de sauce. Réservez au frais la viande avec le foie et les rognons.

Lavez les poivrons, épépinez-les sans les peler, puis coupez-les en très petits dés. Faites suer les poivrons avec un filet d'huile d'olive. Ajoutez ensuite 4 tomates pelées, 1 branche de thym et laissez mijoter à peu près 10 min. Écrasez le tout avec une spatule.

Lavez et épluchez les pommes de terre. Plongez-les dans de l'eau froide salée et laissez cuire environ 20 min. Faites cuire les haricots verts dans de l'eau salée, 8 min. Préparez ensuite la purée avec le lait. Puis montez-la avec 5 c. à s. d'huile d'olive. Assaisonnez.

à la fleur de thym

ANGEL
YAGUES

Cuisson : 1 h

Hachez la chair du lapin. Coupez les rognons en 2, faites-les revenir avec le foie 5 min avec 1 c. à s. d'huile d'olive. Assaisonnez, réservez. Dans la même poêle, faites cuire la chair 5 min. Assaisonnez. Ajoutez l'ail, le persil hachés, la fleur de thym.

Faites le jus du lapin avec les os, le coffre et 1 c. à s. d'huile d'olive. Faites-les revenir avec la carotte coupée en dés, l'oignon émincé, le thym. Déglacez au vin blanc, ajoutez le jus de tomates et laissez mijoter à petit feu pendant 20 min. Passez au chinois. Rectifiez l'assaisonnement.

Montez le parmentier à l'aide d'un cercle en commençant par une couche de viande. Mettez le mélange de tomates et poivrons et terminez par la purée. Ajoutez au moment de servir les lamelles de foie, les rognons nappés de sauce, les haricots verts, les tomates grappes cuites et la branche de thym.

Pieds et paquet.

4 personnes   ★★★   **Préparation : 2 h 30**

1 tripe de mouton
6 pieds de mouton
80 g de petit salé
4 gousses d'ail
2 brins de persil
50 g de lard de porc
1 poireau
1 oignon et demi
2 tomates
1 carotte
1 clou de girofle
50 cl de vin blanc sec
1 litre de bouillon de veau ou volaille

1 cuillère à café de concentré de tomates
1 cuillère à soupe d'huile d'olive
1 pointe de piment de Cayenne
Sel
Poivre

Bouquet garni :
Thym
Laurier
Queue de persil

Lutage de la cocotte :
50 g de farine

Fleurons de la cuisine provençale, les pieds et paquets semblent bien plus marseillais que languedociens. Pour ne pas faire de jaloux, disons qu'on les consomme depuis Toulon jusqu'à Monpellier. Par ailleurs, les Lyonnais s'en régalent aussi.

Autrefois, chaque cuisinière du Languedoc possédait sa toupine, un récipient en terre qui allait sur la braise. Elle se présentait comme une jarre mais beaucoup plus ronde, plus renflée. Dans ce récipient, il fallait laisser les pieds et paquets mijoter doucement pendant toute une nuit, sur des petites braises. Cette fameuse toupine était fermée par un bouchon creux, qui couvrait le goulot par des rebords plus larges. On ajoutait de l'eau dans le bouchon, et durant la cuisson, la condensation cuisait ainsi par le haut les pieds et paquets.

Cette recette traditionnelle est un véritable mets de fête. Très convivial, ce plat succulent invitait toutes les femmes d'une même famille à le réaliser. En général,

le service d'une assiette comprend un pied et trois paquets par personne. Veillez à ce que les tripes et les pieds soient bien blancs. Autre conseil, fendez les pieds entre les deux doigts pour une meilleure cuisson, qui doit se faire très lentement. C'est ainsi que l'on obtient l'onctuosité des pieds et paquets. Vous pouvez aussi les agrémenter de pommes de terre vapeur.

Georges Rousset vous recommande de préparer avec vos pieds et paquets quelques tranches de pain de mie, poêlées dans une cuillère à café d'huile de tournesol. Vous en servirez deux par personne.

Si vous n'avez pas le coup de main pour la fermeture des paquets, le plus simple serait d'utiliser de la ficelle. En revanche, n'oubliez pas de l'enlever avant le service. Afin de faciliter la tâche de vos convives, débarrassez les os des pieds de mouton. Cela étant, certains gourmands apprécient de pouvoir les suçoter.

Pour confectionner la farce des paquets, passez au hachoir électrique le petit salé sans sa couenne, 2 gousses d'ail et le persil. Salez et poivrez.

Lavez soigneusement la tripe de mouton. Découpez-la en carrés de 7 ou 8 cm de côté. Déposez une cuillerée de farce en bas de chaque carré.

Rabattez les côtés du carré sur la farce. Enroulez en partant du bas vers le haut, jusqu'au dernier quart. Incisez dans le haut du carré de tripe. Faites passer le paquet par le trou pour fermer. Préparez ainsi les autres paquets. Mondez, épépinez et concassez les tomates.

du Languedoc

**GEORGES
ROUSSET**

Cuisson : 4 h 30

Faites fondre le lard en cocotte. Ajoutez poireau et oignon ciselés, rondelles de carotte, tomates et 1/2 oignon piqué d'un clou de girofle. Mouillez au vin blanc, laissez réduire pendant 8 à 10 min. Préchauffez votre four. Ajoutez pieds et paquets dans la cocotte.

Mouillez avec le bouillon. Ajoutez enfin bouquet garni, ail, concentré de tomates et piment. Portez à ébullition, salez, poivrez. Scellez le couvercle à la marmite, avec un cordon de pâte fait de farine pétrie avec de l'eau. Cuisez au four pendant 4 h 30 à 85°C.

Sortez paquets et pieds cuits de la cocotte. Dégraissez la sauce à la louche. S'il y a trop de jus, réduisez jusqu'à ce que la sauce soit gélatineuse. Sinon, filtrez le jus, remettez-le en cocotte avec la viande et laissez mijoter jusqu'au service.

DANIEL ETTLINGER

Pigeonneau fourr

4 personnes ★★ **Préparation : 1 h**

2 pigeonneaux de 500 g pièce
4 pommes de terre nouvelles moyennes
150 g de petits pois
150 g de févettes
4 petites carottes
2 branches de thym
1 oignon moyen
15 cl de fond blanc
3 cuillères à soupe d'huile d'olive
Gros sel
Sel
Poivre

Farce :
2 saucisses perugine
2 tranches de baguette
10 cl de lait
1/2 oignon moyen
1 branche de thym
4 gousses d'ail
1 cuillère à soupe d'huile d'olive
1 bottillon de persil plat
Sel

Le pigeonneau fourré et légumes de saison est un plat rustique de l'arrière-pays niçois. Si à l'origine, il se préparait mijoté, notre chef a décidé de l'accommoder avec une farce légèrement pimentée.

La chair délicate du pigeonneau et sa saveur subtile font de ce volatile un mets luxueux. Présents sur les étals du printemps à la fin de l'été, les pigeons fermiers laissent leur place le restant de l'année à ceux d'élevage. Si vous éprouvez des difficultés pour enlever les cuisses et découper le coffre, demandez à votre volailler de le faire. N'oubliez pas de conserver les ailerons et la carcasse pour la confection du jus.

Au moment de mettre les pigeonneaux au four, posez-les délicatement afin d'éviter que la peau ne se déchire. Pour lever les filets, Daniel Ettlinger vous conseille de laisser les pigeons reposer quelques instants.

La farce doit être légèrement rafraîchie avant d'être fourrée sous la peau des pigeonneaux. Les *perugine*, saucisses légèrement relevées et pimentées, apportent toute leur saveur. Il est donc inutile d'ajouter du poivre. Vous devez ôter le boyau des *perugine* pour les faire revenir avec le restant de la farce. Notre chef vous recommande simplement de les faire fondre. Elles finiront, en effet, de cuire avec le pigeon. Veillez à bien imbiber les dés de pain dans le lait pour qu'ils se délayent plus facilement dans la farce. Avant de les incorporer, égouttez-les. Conservez les parures d'oignons pour le jus.

Selon la saison, le choix des légumes diffère. Au printemps, les févettes, produites dans le Sud de la France, se consomment avec leur peau. Vous pouvez également ajouter des pois gourmands ou des haricots verts. N'oubliez pas au démarrage de la cuisson, de saler les légumes pour qu'ils conservent leur couleur. Si vous confectionnez ce plat en hiver, procurez-vous des salsifis, des blettes et des endives.

Le pigeonneau fourré et légumes de saison est un plat qui change du quotidien. Assurément, il séduira plus d'un gourmet !

Confectionnez la farce en faisant tremper les dés de pain dans le lait. Coupez 1 demi-oignon en dés et faites-les suer avec 1 c. à s. d'huile d'olive. Ajoutez l'ail émincé et la chair des perugine en délayant. Incorporez le pain, le thym et le persil haché. Assaisonnez sans poivrer.

Préparez les pigeons en enlevant les cuisses et en prenant garde de ne pas abîmer la peau du coffre. Coupez les ailerons et découpez de chaque côté du coffre en suivant l'os de la poitrine pour dégager les filets.

Troussez la peau avec les doigts pour la décoller de la chair. Ajoutez à la farce le foie coupé en petits dés. Glissez la farce entre la peau et la chair. Remodelez les pigeonneaux pour qu'ils retrouvent leur aspect initial.

et légumes de saison

DANIEL
ETTLINGER

Cuisson : 25 min

Dans une casserole, préparez le jus avec 1 c. à s. d'huile d'olive, les os et les cuisses, jusqu'à coloration. Salez. Ajoutez les parures d'oignons, le thym, faites revenir 10 min. Déglacez au fond blanc. Enlevez les cuisses au bout de 10 min. Cuisez encore 15 min. Tamisez.

Démarrez la cuisson des légumes avec 1 c. à s. d'huile d'olive en incorporant les pommes de terre coupées en quartiers, l'oignon coupé en grosses lamelles. Faites revenir 5 min. Salez et poivrez. Ajoutez le thym, les carottes coupées en sifflets. Laissez cuire environ 10 min.

Blanchissez les petits pois dans l'eau avec le gros sel pendant 6 min. Ajoutez-les avec les févettes aux légumes. Mettez au four à 250°C, les pigeonneaux avec 1 c. à s. d'huile d'olive. Laissez reposer 3 min et découpez les filets. Dressez-les dans l'assiette avec les légumes et la sauce.

JEAN
PLOUZENNEC

Pintade à l'ail confi

4 personnes ★★ **Préparation : 15 min**

1 pintade fermière
4 tranches de ventrèche
30 gousses d'ail
3 citrons non traités
5 cl de Banyuls sec ou de Rancio
20 cl de fond de veau
1 cuillère à soupe d'huile d'olive
1 orange amère
Sel
Poivre

Bouquet garni :
Thym
Laurier
Persil

Décoration :
Brins de ciboulette

Si vous consultez un manuel de gastronomie catalane, vous tomberez certainement sur cette recette. À l'origine, elle était préparée avec de la perdrix. Dans sa suggestion, le chef utilise de la "pintade fermière". Cette dénomination signifie que ce noble oiseau a été élevé en semi-liberté, et qu'il possède une chair ferme et plus goûteuse.

Vous trouverez cette volaille, plus savoureuse lorsqu'elle est jeune, sur les étals des marchés de la fin de l'été jusqu'à fin janvier. Au XVIe siècle, les Portugais ramenèrent la pintade d'Afrique occidentale, et l'introduisirent en Europe, pour en développer l'élevage.

Pour que le joli volatile soit moins sec et donc plus moelleux, Jean Plouzennec le recouvre de tranches de ventrèche. Celle-ci est préparée à base de poitrine de porc désossée, puis marinée en saumure une dizaine de jours. On la saupoudre ensuite de poivre. Elle est enfin mise à sécher.

Le Banyuls qui agrémente la recette est un vin doux naturel, c'est-à-dire que l'on arrête sa fermentation pour qu'il conserve son arôme de raisins et son sucre. Très appréciée des Catalans, la saveur sucrée-salée est relevée par la pointe d'acidité donnée par les zestes d'agrumes, que l'on retrouve dans de nombreux fonds de sauce catalans. Les citrons sont abondamment cultivés en Italie, mais aussi dans le Sud de la France, à Menton, considérée comme la capitale française du citron. Choisissez-les assez gros, et d'un jaune très vif.

Pour varier les plaisirs et se rapprocher de la tradition, vous pourrez réaliser la recette avec de beaux et tendres perdreaux, plus délicats que les perdrix. Comptez un oiseau par personne. Ce gibier très convoité par les chasseurs possède une chair grise. Notre recette peut être accompagnée de pommes de terre nouvelles, de cèpes ou de girolles, en fonction de la saison.

Préchauffez votre four à 200°C. Salez, poivrez l'intérieur et l'extérieur de la pintade. Enroulez les 2 cuisses avec deux tranches de ventrèche. Posez les 2 tranches restantes sur le corps. Ficelez-les. Arrosez d'1 c. à s. d'huile d'olive. Enfournez 35 à 40 min.

Surveillez la cuisson de la pintade, et arrosez-la de son jus pendant toute la durée du rôtissage. Pelez les citrons à vif. Ôtez la pellicule de peau blanche. Dégagez les quartiers de deux citrons, et coupez le troisième en rondelles.

Enlevez la ventrèche entourant la pintade (réservez-la). Découpez la pintade selon la méthode classique. Dégagez les cuisses, les blancs et les ailes (Coupez celles-ci en deux). Remettez la carcasse dans le plat de cuisson, pour confectionner le jus à l'ail et citron.

et au citron

JEAN
PLOUZENNEC

Cuisson : 1 h

Déglacez le plat de cuisson de la pintade, en l'arrosant avec 5 cl de Banyuls sec et 20 cl de fond de veau. Ajoutez le bouquet garni, un zeste d'orange amère, sel et poivre. Faites mijoter pendant 10 min. Passez au chinois en exprimant bien les sucs. Récupérez le jus obtenu.

Ajoutez dans ce jus les gousses d'ail entières épluchées et blanchies deux fois ainsi que les quartiers des 2 citrons. Portez à ébullition. Laissez mijoter pendant 10 min à découvert. Ajoutez les rondelles de citron, et rectifiez l'assaisonnement.

Ajoutez les ailes et les cuisses dans la sauce, et remontez le feu. Servez et entourez-les de rondelles de citron, de tranches de ventrèche et de gousses d'ail. Disposez quelques brins de ciboulette pour la décoration.

CHRISTIAN
ÉTIENNE

Pintade aux picholines

4 personnes ★★ **Préparation : 45 min**

2 pintades de 1,5 kg
10 cl de crème fraîche liquide
100 g d'olives picholines
200 g d'épeautre
50 g de tomates confites
30 g de parmesan râpé
1 citron
100 g de beurre

1 cuillère à café d'huile d'olive
Sel
Poivre

Fond de pochage :
50 cl de fond blanc
1 gousse d'ail
Les abattis et os de la pintade

Ce plat du terroir provençal met à l'honneur la pintade. Cette volaille, originaire d'Afrique, était appréciée des Romains qui la nommaient poule de Numidie ou de Carthage.

Pour la confection du fond de pochage, n'oubliez pas de réserver les abattis c'est-à-dire le cou, les ailerons et les os de la carcasse. Ajoutez-les au fond blanc avec une cuillère à soupe d'huile d'olive et une gousse d'ail non épluchée. Laissez cuire pendant vingt minutes. N'oubliez pas ensuite de passer le jus au chinois avant de mettre les suprêmes.

Si la découpe de la volaille vous semble difficile, vous pouvez vous procurer des suprêmes et des filets mignons déjà préparés.

Au cours de cette recette, vous devez préparer un beurre clarifié pour faire dorer la pintade. Il s'agit d'enlever le petit-lait présent dans le beurre en le faisant fondre à feu doux pendant cinq minutes.

Notre chef vous recommande de commencer la recette par la cuisson de l'épeautre. N'oubliez pas d'ajouter de l'eau de temps en temps.

Couramment cultivé jusqu'au début du XXe siècle, l'épeautre a tendance à disparaître. Les Provençaux racontent volontiers que ce blé sauva leurs ancêtres lors des famines. Le chef vous suggère de le remplacer, le cas échéant, par du riz blanc ou des lentilles roses d'Égypte.

Les suprêmes sont farcis aux picholines. Ces petites olives vertes, craquantes au goût, sont cultivées dans les départements du Gard, des Bouches-du-Rhône et en Corse. Elles se caractérisent par leur peau lisse et charnue. Pour cette recette, il est inutile de les dénoyauter. Coupez-les simplement en copeaux.

Au moment de servir, placez l'épeautre dans l'assiette et ajoutez dessus les suprêmes de pintades. Versez la sauce qui par sa couleur légèrement teintée rappellera les origines de ce plat du terroir.

Faites cuire l'épeautre dans de l'eau salée pendant 1 h. Préparez les suprêmes en commençant par enlever les cuisses. Coupez la pintade en suivant l'os de la poitrine pour dégager les 2 suprêmes. Sectionnez les ailerons. Ôtez les petits filets et dénervez-les. Réservez les filets pour la farce.

Hachez finement les petits filets pour confectionner la farce. Mixez à la vitesse maximum et ajoutez la crème fraîche. Salez, poivrez. À l'aide d'une spatule en bois, mélangez bien la farce. Confectionnez le fond de pochage.

Incisez les suprêmes dans le sens de la longueur et assaisonnez. Avec une spatule, étalez la farce en ajoutant les olives coupées en copeaux.

isotto d'épeautre

CHRISTIAN
ÉTIENNE

Cuisson : 1 h 05

Repos des suprêmes : 30 min

Roulez les suprêmes dans du papier-film et faites-les pocher, pendant 20 min, dans le fond blanc. Après les avoir sortis, laissez reposer 30 min.

Faites réduire le fond blanc environ 10 min pour qu'il devienne sirupeux. Montez la sauce avec le beurre coupé en morceaux. Salez, poivrez et ajoutez le jus de citron. Laissez réduire environ 2 min.

Faites réduire la crème fraîche et ajoutez l'épeautre. Remuez pour les lier. Incorporez le parmesan et les tomates confites coupées en petits dés. Au moment de servir, faites dorer la viande au beurre clarifié avec l'huile d'olive. Biseautez les suprêmes.

**LAURENT
BROUSSIER**

Pissaladière de file

4 personnes   ★★   **Préparation : 1 h**

4 filets de bœuf de 180 g pièce	Sel Poivre	5 g de sel 5 g de levure de boulanger	Sel Poivre
20 anchois frais	**Tempura :**		**Décoration :**
2 cuillères à soupe d'huile d'olive	30 g de farine 10 glaçons	**Garniture de la pissalière :**	Persil Sel de Guérande
20 cl de vin rouge	Sel	1 kg d'oignons	
20 cl de porto rouge	Poivre	8 olives noires de Nice	
40 cl de jus de bœuf		1 tomate	
12 os à moelle	**Pâte à pissalière**	Thym	
2 gousses d'ail	**(400 g) :**	Laurier	
1 branche de thym	250 g de farine	Persil	
1 feuille de laurier	2,5 cl d'huile d'olive	10 cl d'huile d'olive	
1/2 botillon de persil	1 petit œuf	4 anchois à l'huile	
Huile de friture			

Nice et sa célèbre promenade des Anglais... On peut aisément ajouter : Nice et sa pissaladière ! Cette tarte, abondamment garnie et décorée de filets d'anchois et d'olives noires se déguste chaude ou froide. Son nom remonterait au XIXe siècle. Avant d'être enfournée, elle était traditionnellement badigeonnée de "pissalat". Ce condiment provençal d'origine niçoise est composé de purée d'anchois, de thym, de clous de girofle, de laurier et de poivre. Le tout malaxé avec de l'huile d'olive.

La pissaladière de bœuf et sa moelle est une création du chef. Les anchois sont donc la base première de cette recette. Ces petits poissons de mer, mesurant 20 cm au maximum, au dos vert bleu et aux flancs argentés sont très abondants en Méditerranée. Vendus frais, salés entiers ou en filets, ils sont aussi commercialisés sous forme de filets à l'huile. Si vous optez pour des anchois frais, faites lever les filets par votre poissonnier. Ils devront cuire un peu plus longtemps. Attention, les anchois en boîte sont déjà salés. Pensez-y lors de l'assaisonnement.

Pour réaliser la pâte de la pissaladière, divisez l'eau dans deux récipients. Diluez le sel dans l'un et la levure dans l'autre. Sur un plan de travail, disposez la farine en couronne, ajoutez l'œuf puis l'eau salée délayée avec la levure. Travaillez la pâte en l'étirant et en l'aplatissant jusqu'au moment où elle ne colle plus aux doigts. Laissez reposer une heure. Si vous souhaitez gagner du temps, procurez-vous chez votre boulanger des petits pains ronds.

Pensez à bien faire dégorger les os à moelle pour enlever le sang et les toxines. Prenez garde de ne pas vous blesser au moment d'ôter la moelle de l'os, car les contours sont tranchants.

Au moment de servir, réchauffez la viande au four. Placez dans l'assiette la pissaladière et le filet de bœuf nappé de sauce. Sur la moelle, ajoutez le sel de Guérande et une pointe de persil haché.

Confectionnez la tempura, en disposant dans un saladier la farine et les glaçons. Remuez au fouet jusqu'à ce que les glaçons fondent, pour obtenir une pâte à beignets. Salez et poivrez.

Préparez la pâte de la pissaladière et faites-la cuire en forme de petits pains. Pour la garniture, épluchez et émincez les oignons. Faites-les revenir doucement dans une casserole avec l'huile d'olive. Ajoutez le thym et assaisonnez très légèrement.

Ajoutez le laurier, le persil coupé grossièrement et les anchois. Laissez mijoter 30 min à feu doux pour que les anchois fondent. Ajoutez la tomate coupée en petits dés. Salez et poivrez.

le bœuf et sa moelle

LAURENT BROUSSIER

Cuisson : 1 h   Dégorgement de l'os à moelle : 24 h   Repos de la pâte : 1 h

Enrobez les filets d'anchois frais de tempura, et faites-les frire dans l'huile de friture bien chaude pendant 1 min, jusqu'à coloration. Épongez-les dans du papier absorbant.

Découpez les petits pains en 2. Faites-les griller au toaster. Garnissez-les de pissaladière. Décorez avec les anchois frits et les olives. Recouvrez la garniture avec le chapeau.

Après avoir poché la moelle 3 à 4 min à l'eau salée et poivrée avec ail, thym et laurier, faites revenir les filets de bœuf dans l'huile. Une fois la viande retirée, déglacez avec le vin rouge et le porto. Ajoutez le jus de bœuf et laissez réduire au 2/3.

JOËL
GARAULT

Risotto de pigeon

4 personnes ★★ **Préparation : 55 min**

2 pigeons de 500 g pièce
300 g de riz arborio
4 échalotes
1 gousse d'ail
160 g de chanterelles
1 branche de persil plat
15 cl de Porto
20 cl de fond blanc
100 g de parmesan râpé
4 carottes fanes
100 g de beurre
2 cuillères à soupe d'huile d'olive

Gros sel
Sel, poivre

Jus de pigeon :
1 carotte
1 oignon
1 branche de céleri
10 cl de vin rouge
10 cl de fond blanc de volaille
20 g de beurre
1 branche de thym
1 feuille de laurier

À Monte-Carlo, Joël Garault excelle dans son métier. Il a souhaité à travers cette recette rendre hommage aux Transalpins. Si le risotto est directement associé à l'Italie, les autres ingrédients comme le pigeon ou les chanterelles proviennent des Alpes-de-Haute-Provence.

La chair délicate du pigeon et sa saveur subtile font de ce volatile un mets luxueux. Présent sur les étals du printemps à la fin de l'été, les pigeons fermiers laissent leur place le restant de l'année à ceux d'élevage. Notre chef vous conseille de demander à votre volailler un pigeon étouffé, beaucoup plus goûteux que le saigné. Au moment du découpage, n'oubliez pas de conserver les ailerons et la carcasse pour la confection du jus. Vous pouvez également réaliser ce plat avec des cailles ou un pintadeau.

Avec les chanterelles jaunes, cette recette conserve ses accents provençaux. Appelé également girolle, ce champignon apparaît dès le mois de juin et reste présent jusqu'en automne. Par temps orageux, les chanterelles abondent dans l'arrière-pays. Leur odeur délicieuse rappelle celle de l'abricot. Vous pouvez décorer les chanterelles avec une pointe de persil haché.

Joël Garault apprécie la gastronomie italienne. Pour son risotto, il choisit la variété arborio. Ce riz de très bonne qualité possède l'avantage de ne pas se défaire à la cuisson. Si vous souhaitez valoriser ce plat, ajouter au risotto une purée d'ail confite à l'huile d'olive. Cependant, montez-le tout de même au beurre et au parmesan.

Le parmesan, dans notre préparation, se retrouve sous forme de tuiles. Pour les réaliser, utilisez une plaque antiadhésive. Sans conteste, le parmesan est le roi des fromages italiens. Cet AOC de lait de vache se caractérise par une saveur lactique boucanée, fruitée, salée parfois piquante.

Le risotto de pigeon et chanterelles est un mariage réussi entre les traditions culinaires azuréennes et transalpines. Ce plat raffiné ne connaît pas de frontière.

À l'aide d'un couteau, levez les cuisses des pigeons en sectionnant l'os à la jointure. Coupez les pattes et les ailes. Enlevez la colonne vertébrale et l'os du bréchet. Conservez les abats et les os pour le jus.

Confectionnez le jus en coupant en petits dés la carotte, le céleri, l'oignon. Colorez la carcasse et les abats avec le beurre. Ajoutez les légumes et faites dorer. Réduisez à sec avec le vin rouge. Versez le fond blanc, ajoutez le laurier et le thym. Laissez cuire 25 min.

Faites revenir les cuisses avec 20 g de beurre. Quand elles sont dorées, ajoutez 2 échalotes émincées. Déglacez au Porto. Faites réduire. Ajoutez le jus tamisé. Laissez réduire 25 min. Filtrez la sauce des cuisses.

JOËL
GARAULT

Cuisson : 1 h 05

Épluchez et tournez légèrement les carottes et faites-les cuire 10 min dans l'eau avec le gros sel. Égouttez et coupez-les en éventails. Réservez. Dans une casserole, mettez 2 échalotes et l'ail émincés avec 50 g de beurre. Versez le riz et remuez pour qu'il s'enrobe.

Mouillez le risotto avec le fond blanc. Laissez cuire 15 min. Montez-le avec 30 g de beurre et 20 g de parmesan. Poêlez les chanterelles avec 1 c. à s. d'huile d'olive. Salez, poivrez. Ajoutez le persil haché. Préparez les tuiles avec 80 g de parmesan, mettez au four, 4 min, en position gril.

Salez et poivrez les pigeons, cuisez-les avec 1 c. à s. d'huile d'olive, 3 min, de chaque côté. Mettez-les au four, 3 min, à 180°C. Levez les filets, coupez-les en éventails. Dans l'assiette, placez le risotto, le filet, la carotte, la cuisse, les chanterelles, la tuile et la sauce.

Desserts

ANGEL
YAGUES

Crème brûlé

4 personnes   ★   Préparation : 40 min

1 verre de Muscat
250 g de raisins muscat blanc
Sucre glace

Crème brûlée :
6 œufs
50 cl de lait
150 g de sucre
1 gousse de vanille

Glace vanille :
4 œufs
25 cl de lait
100 g de sucre
1 cuillère à soupe d'extrait de vanille

Décoration :
Groseilles grappes
Menthe fraîche
1 barquette de framboises

La crème brûlée au Muscat est un dessert typiquement languedocien. C'est dans cette terre de garrigue et de vigne que ce vin doux naturel est produit. Consommé généralement à l'apéritif, il est aussi très souvent utilisé en cuisine. Ses raisins, à petits grains, se caractérisent par des baies blanches ambrées et fermes. Lors de la préparation de la sauce, pensez à peler et à épépiner les fruits en les fendant légèrement. Cette crème, facile à confectionner, peut s'accommoder également avec un Beaumes de Venise, un Grand Marnier ou un Cointreau.

Lors de la cuisson au four, la feuille d'aluminium évite au bain-marie de bouillir. Pour gagner du temps, notre chef vous conseille de réaliser la crème la veille.

Dans ce dessert, la vanille tient une place de choix. Le vanillier, qui donne les fruits, est une plante grimpante de la famille des orchidées. Cultivé à l'origine au Mexique, il est aujourd'hui présent aux Antilles, à Madagascar et aux Comores. Cueillie à peine mûre, puis plongée dans de l'eau bouillante et séchée, la gousse de vanille est ensuite exposée au soleil, sous couverture. Elle se colore de brun foncé et se couvre alors d'un givre de cristaux de vanilline. C'est cette substance qui lui donne son parfum et son goût si caractéristiques.

La sauce Muscat est agrémentée de glace à la vanille fondue. Il s'agit en fait d'une crème anglaise. Si vous souhaitez la réaliser, il suffit de faire bouillir le lait et de blanchir les jaunes et le sucre. Incorporez ensuite la vanille liquide dans le mélange blanchi et fouettez énergiquement. Pour délayer, versez le lait en remuant avec une spatule et laissez cuire 2 minutes environ. Rectifiez le goût en ajoutant de la vanille. Laissez refroidir et turbinez.

Si le temps vous manque, vous pouvez toujours utiliser deux boules de glace toute préparée pour terminer la sauce Muscat.

Ne négligez pas la décoration : elle apporte à ce succulent dessert une touche raffinement.

Préparez la crème en incorporant dans le lait chaud la gousse de vanille. Laissez infuser 15 min. Tamisez.

Faites blanchir les jaunes d'œufs avec le sucre en fouettant énergiquement. Incorporez ensuite le lait vanillé dans les œufs blanchis. Remuez bien. Passez au chinois.

Remplissez des ramequins de crème. Couvrez le plat d'une feuille d'aluminium. Ajoutez un fond d'eau et placez les ramequins. Faites cuire au bain-marie pendant 2 h, au four à 120°C.

Cuisson : 2 h 20

Réfrigération de la crème : 3 h

Mettez le Muscat dans une casserole et ajoutez les grains de raisins pelés et épépinés. Chauffez légèrement pour parfumer les grains pendant 2 min. Réservez ensuite le raisin.

Avec la pointe d'un couteau, détourez délicatement la crème. Retournez ensuite le ramequin dans l'assiette. Saupoudrez de sucre glace et passez au gril à 250°C jusqu'à coloration.

Terminez la sauce Muscat en la faisant tiédir légèrement. Ajoutez la glace. Quand celle-ci est entièrement fondue, placez-la tout autour de la crème, à l'aide d'une cuillère. Ajoutez les grains de raisins, les groseilles, les framboises et les feuilles de menthe.

JEAN PLOUZENNEC

Crème catalane

4 personnes	★	Préparation : 30 min	Repos de la pâte à bunyètes : 5 à 6 h

Crème catalane :
50 cl de lait
50 cl de crème fraîche liquide
1 zeste d'orange
1 zeste de citron
1 bâton de cannelle
180 g de sucre semoule
14 jaunes d'œufs
4 cuillères à soupe de lait d'amandes
ou 150 g de poudre d'amandes
8 cuillères à soupe de sucre roux pour la finition

Panallets :
250 g de poudre d'amandes
250 g de sucre glace

1 patate douce rouge (300 g)
1 œuf
100 g de pignons de pin
10 g d'amidon de pommes de terre

Bunyètes :
1 kg de farine
8 œufs
250 g de beurre
2 citrons
1 cuillère à soupe d'huile
1 cuillère à soupe de sucre
3 cuillères à soupe d'eau de fleur d'oranger
Huile pour friture

Voici un dessert internationalement connu, ambassadeur de la cuisine catalane dans le monde. Naturellement, il se devait de figurer à la carte des desserts du restaurant du Casino d'Amélie-les-Bains, où officie Jean Plouzennec.

La recette que nous vous proposons est aussi un classique de la pâtisserie. Toutes les mamans catalanes transmettent ce petit patrimoine à leur progéniture ! Mais en ce qui concerne Jean Plouzennec, ce sont ses grands-parents qui lui ont légué la fameuse recette. Juste avant de servir, n'hésitez pas à saupoudrer ces gourmandises avec du sucre roux, puis à les caraméliser sous le gril de votre four ou avec le fer spécial chauffé à blanc.

Afin de vous faciliter la tâche, notre chef vous suggère d'utiliser du lait d'amandes pour agrémenter la crème. Curieusement dans cette recette du Sud, on utilise de la crème fraîche liquide. Cela s'explique par le fait qu'il y a toujours eu des vaches dans les Pyrénées. Cependant dans la gastronomie catalane, la crème et le beurre sont souvent réservés à la pâtisserie. L'huile d'olive étant la matière grasse de prédilection pour cuisiner.

Les zestes d'agrumes, orange et citron, ont leur importance, et une petite mise en garde s'impose quant à leur utilisation. Veillez à choisir des oranges et des citrons non traités, car les produits chimiques qui les recouvrent résistent au rinçage.

L'eau de fleur d'oranger parfume admirablement les bunyètes dans les Pyrénées-Orientales ou les "oreillettes" du pays languedocien, que l'on déguste lors du carnaval. Sachez que les plus belles sont très cloquées ! Les panallets quant à eux, font le régal des fêtes de la Toussaint. La purée de patate douce doit être bien sèche avant d'être mêlée aux amandes et au sucre, puis roulée en boules.

Portez à ébulliton le lait additionné de 90 g de sucre. Ajoutez la poudre d'amandes. Laissez infuser hors du feu, pendant quelques minutes. Ajoutez la crème fraîche, et portez de nouveau à ébullition.

Ajoutez les zestes d'orange et de citron non traités et lavés, et la cannelle fendue. Laissez infuser pendant 5 min hors du feu.

Dans un grand saladier, mélangez les 14 jaunes d'œufs avec les 90 g de sucre restant. Fouettez vigoureusement, jusqu'à ce que le mélange blanchisse.

JEAN
PLOUZENNEC

Cuisson de la crème : 20 min   **Cuisson des panallets : 1 h 10**   **Cuisson des bunyètes : 5 min**

Versez 2 louches de lait aux amandes chaud sur cet appareil. Reversez dans la casserole, et faites épaissir à feu doux. Filtrez la crème pour la lisser. Versez-la dans des moules à crème brûlée, réservez au frais. Au moment de servir, saupoudrez de sucre roux et caramélisez.

Les bunyètes : râpez le zeste de citron. Dans la farine en puits, ajoutez le beurre ramolli, les œufs entiers, le zeste, 3 c. à s. d'eau de fleur d'oranger, le sucre et l'huile. Malaxez. Laissez la pâte reposer 5 à 6 h. Étalez-la. Faites des disques très très fins et faites-les frire à l'huile.

Les panallets : cuisez la patate douce enveloppée d'aluminium au four, 1 h à 180°C. Ôtez la peau, écrasez en purée. Mélangez à la poudre d'amandes et au sucre. Faites des boules. Amidonnez-les et roulez-les dans le blanc d'œuf puis dans les pignons. Dorez au jaune d'œuf. Enfournez 10 min à 200°C.

4 personnes ★ Préparation : 15 min

1/2 ananas	**Crème pâtissière :**
4 pommes	25 cl de lait
granny-smith	50 g de sucre
1 paquet de pâtes à	20 g de farine
phyllo	2 œufs
100 g de graines de	10 g de pâte pistache
sésame	
100 g de beurre	**Crème anglaise**
	à la pistache :
	2 œufs
	50 g de sucre
	50 cl de lait
	20 g de pâte
	de pistache

Nougatine :
30 g de sucre
40 g d'amandes hachées

Nougat glacé :
15 g de pistaches
mondées
25 cl de crème fraîche
liquide
2 œufs
40 g de sucre
2 cuillères à soupe de
Grand-Marnier

Meringue italienne :
2 œufs
50 g de sucre

Décoration :
50 g de mûres
50 g de groseilles

Si vous allez à Marseille, ne manquez pas de déguster au Miramar la fameuse bouillabaisse et les délices des minots ! Ce dessert doux et croustillant se consomme exclusivement chez Jean-Michel Minguella. Fabrice Vaquer le chef pâtissier du restaurant a voulu créer ces friandises pour les enfants, dits "les minots". Il s'est inspiré des beignets de l'Estaque baptisés "chichi fregi". Pour ne rien rater de cette fête, notre chef vous propose de les réaliser en suivant ses conseils, une vraie promesse de bonheur ! Ce dessert est un "chaud froid" qui pourrait symboliser l'unité, le yin et le yang, le jour et la nuit, le Nord et le Sud, somme toute l'harmonie.

Enfermées dans leur coque, les pistaches révèlent une saveur des plus subtiles. Très énergétiques, elles sont aussi riches en lipides. Elles entrent dans la composition de nombreuses pâtisseries orientales, dans certaines farces de volailles et les galantines. Mais ici, ces fruits secs agrémentent les palets de nougat glacé. Vous ne les

servirez qu'au dernier moment. La proximité du délice des minots tièdes pourrait les faire fondre très rapidement.

Quant aux fruits de ce dessert, la pomme granny-smith s'apprécie de la mi-octobre à la fin avril. Elle est très acidulée et vient contraster la douceur de la crème pâtissière à la pistache. Cependant vous trouverez l'ananas un peu plus tard, entre décembre et avril. Choisissez-le dense, lourd et parfumé. Si des taches brunes envahissaient l'écorce, rabattez-vous sur un autre fruit exotique.

Optez par exemple pour la carambole ou le kiwi, ils sont d'une bonne tenue pour être légèrement poêlés dans le beurre ! Pour le dressage de ce délicieux dessert, nappez le fond de l'assiette de la crème anglaise à la pistache. Ajoutez un palet de nougat glacé, surmontez-le d'une mûre et décorez l'assiette avec une petite branche de groseilles et régalez-vous !

Découpez l'ananas et n'utilisez qu'une moitié. Épluchez les pommes granny. Débitez les fruits en dés. Faites-les revenir 2 min dans 50 g de beurre. Égouttez-les et réservez. Pour la crème pâtissière : faites bouillir le lait. Blanchissez 2 jaunes d'œufs et 50 g de sucre.

Ajoutez la farine en pluie, et versez le lait bouillant dedans. Recuisez 5 min en remuant. Incorporez ensuite la pâte de pistache, puis l'ananas et les pommes.

Déposez sur 1 feuille de phyllo, 2 c. à s. de crème pâtissière aux fruits. Confectionnez une sorte de quenelle, en l'enroulant sur elle-même. À mi-chemin, rabattez les côtés et roulez-la jusqu'au bout. Badigeonnez les délices avec les 50 g de beurre fondu.

les minots

JEAN-MICHEL
MINGUELLA

Cuisson : 10 min

Congélation du nougat glacé : 1 nuit

Saupoudrez les délices de graines de sésame. Enfournez-les 15 min à 220°C. Préparez la crème anglaise : blanchissez 2 jaunes d'œufs avec 50 g de sucre. Ajoutez le lait bouillant, et faites cuire 2 min à feu doux en remuant. Réservez-la.

Confectionnez la nougatine : faites un caramel avec 30 g de sucre, 1 c. à s. d'eau et 40 g d'amandes hachées. Refroidissez et concassez-la. Pour le nougat glacé : hachez les pistaches mondées. Montez la crème au batteur. Réservez-la. Cuisez 40 g de sucre avec 1 c. à s. d'eau.

Versez ce sirop aux blancs d'œufs montés en neige. Refroidissez-les au batteur électrique. Ajoutez : nougatine, pâte à la pistaches, Grand-Marnier et crème fouettée. Étalez ce mélange sur une plaque. Congelez 24 h. Servez les desserts tièdes, avec des palets de glace et la crème.

DANIEL
ETTLINGER

Figues pochées au vi*n*

4 personnes

Préparation : 30 min

8 figues
1,5 cl de vin rouge
1,5 cl de Porto
1 cuillère à café de cannelle
250 g de mascarpone
2 pièces de meringue
70 g de sucre semoule

1 orange
1 citron
1/2 gousse de vanille

Ce dessert de la région niçoise est une recette très facile à réaliser. La seule difficulté réside dans le choix des figues. Notre chef insiste sur la fragilité de ces fruits. Ils se conservent seulement 24 heures au réfrigérateur. Mûrs, ils présentent de petites crevasses superficielles et résistent peu à la pression du doigt. Les figues ne doivent pas pour autant être trop molles. La fermeté de leur queue est un bon indice de fraîcheur. Daniel Ettlinger vous conseille, selon le marché, de choisir des figues belonne, une variété très sucrée du sud de la France.

Dans la cuisson des figues, le Porto apporte une pointe de douceur. Ce vin muté à l'eau-de-vie pour interrompre sa fermentation est souvent consommé à l'apéritif. Vous pouvez le remplacer par un Banyuls ou un Beaumes de Venise.

Dans cette recette, la cannelle joue aussi son rôle. Cette écorce de divers arbustes exotiques, utilisée comme aromate, parfume les fruits pochés au vin. Elle est recon-

naissable à son odeur suave et pénétrante et possède une saveur chaude et piquante.

Les Azuréens, baignés de culture italienne, emploient fréquemment le mascarpone. Ce fromage riche et crémeux est surtout connu des amateurs de *tiramisu*. Une crème fraîche épaisse peut aussi bien le remplacer.

Les figues pochées au vin rouge, crème mascarpone s'accompagnent de brisures de meringue. Confectionnée à partir de blancs d'œufs fermement battus en neige et d'une quantité deux fois plus importante en sucre, la meringue se présente sous différentes consistances. Très légère, elle devient selon le degré de cuisson, mousseuse, moelleuse ou croquante. Chez votre boulanger, choisissez plutôt une meringue assez ferme.

Si la préparation de ce dessert demande peu de temps, notre chef vous rappelle qu'il doit être servi très rapidement dans les assiettes. Un détail à ne pas négliger pour réussir parfaitement ce plat traditionnel.

Après avoir rincé les figues, incisez-les délicatement en croix à l'aide d'un petit couteau.

Versez dans le plat le vin rouge et le Porto.

Saupoudrez les figues avec 50 g de sucre semoule et la cannelle.

ouge, crème mascarpone

DANIEL
ETTLINGER

Cuisson : 30 min

Coupez le citron et l'orange en quartiers. Fendez la gousse de vanille. Ajoutez un quartier de citron et un d'orange, la vanille dans le plat des figues. Mettez au four à 200°C, pendant 30 min.

Préparez la crème mascarpone en lui incorporant 20 g de sucre. Mélangez.

Versez dans l'assiette la sauce au vin. Posez le mascarpone. Placez dessus les figues coupées en 2. Saupoudrez de brisures de meringue, décorez avec les agrumes confits.

LAURENT
BROUSSIER

Fraises à l'huile d'olive

4 personnes   ★   **Préparation : 30 min**

20 fraises de Carros
4 cuillères à café d'huile d'olive

Coulis de basilic :
120 g de sucre
12 feuilles de basilic
8 g de Vitpris ruban noir

Sorbet d'aubergine :
400 g de sucre
400 g d'aubergines
1 citron

Sirop :
300 g de sucre

Décoration :
8 olives noires confites de Nice

Oser marier des fraises à un sorbet d'aubergine peut surprendre. L'idée de les assaisonner avec de l'huile d'olive semble davantage saugrenue. Et pourtant... Cette recette originale créée de toutes pièces par notre chef est un véritable dessert, qui allie fruits, légumes, huile d'olive et basilic.

La fraise est un fruit fragile qui se conserve très peu de temps au réfrigérateur. Selon la légende, elle procurerait la longévité. Il en existe une multitude de variétés. Cultivées dans l'arrière-pays niçois, celles de Carros se caractérisent par un goût très sucré, une tige très longue et de grandes feuilles. Si vous avez des difficultés pour vous en procurer, choisissez des fraises plutôt grosses. Lors de la préparation, évitez, au moment de les laver, de les faire tremper dans l'eau.

L'aubergine quant à elle, est étroitement associée au patrimoine culinaire du bassin méditerranéen. Plus souvent cuisiné en légume, ce fruit est ici consommé en sorbet. Pour que la transformation soit parfaitement réussie, prenez soin de bien confire les aubergines. Pour éviter que le sucre ne cristallise, ajoutez un peu de jus de citron. Au moment de confectionner les quenelles, passez la cuillère sous l'eau chaude afin de mieux travailler le sorbet.

Par le choix des divers ingrédients, ce dessert apparaît comme un véritable mélange de goûts. Il est donc primordial de bien doser l'huile d'olive et le coulis pour éviter une quelconque dominance. Il est judicieux de faire rafraîchir le basilic quelques instants dans l'eau avant de préparer le sirop. Évitez de le laisser trop longtemps, sinon les feuilles noircissent.

Pour décorer les fraises à l'huile d'olive et le sorbet d'aubergine, le chef vous propose une touche supplémentaire d'originalité : placez dans l'assiette des olives noires confites de Nice.

Pour le coulis de basilic, faites chauffer à 100°C, pendant 5 min, 10 cl d'eau et le sucre. Ajoutez les feuilles de basilic lavées. Laissez infuser 15 min jusqu'à ce que l'eau verdisse. Incorporez le Vitpris, mixez le tout puis passez au chinois.

Lavez et taillez les aubergines en dés, et faites-les blanchir. Préparez le sirop avec 1 l d'eau et le sucre. Ajoutez les aubergines blanchies. Laissez cuire jusqu'à 109°C, un peu plus de 20 min.

Confectionnez le sorbet avec 50 cl d'eau, le sucre, le jus du citron et les aubergines confites. Mixez en purée. Turbinez en sorbetière, et placez la glace au congélateur.

orbet aubergine

LAURENT BROUSSIER

Cuisson : 40 min

Congélation du sorbet : 2 h

Passez rapidement les fraises sous l'eau pour les laver. Coupez-les en 2, en prenant soin de conserver le pédoncule et la queue.

Déposez les fraises dans un saladier. Assaisonnez chaque fraise avec 4 c. à c. de coulis au basilic et 4 c. à c. d'huile d'olive.

Sortez le sorbet du congélateur. Faites rouler la cuillère à entremets sur le sorbet afin de confectionner une quenelle. Faites glisser la cuillère dans la paume de la main pour réchauffer légèrement la glace. Présentez avec les fraises et les olives.

Le délic

400 g de framboises
50 cl de crème fraîche liquide
300 g de sucre en poudre

Génoise :
3 œufs
100 g de sucre en poudre
120 g de farine
50 g de beurre

Crème pâtissière :
50 cl de lait
5 œufs
90 g de sucre en poudre
40 g de farine
1 cuillère à café d'extrait de vanille

Décoration :
Une dizaine de framboises
1 bouquet de feuilles de menthe

Il y a 15 ans, Angel Yagues et son épouse décident de s'installer en plein cœur de Béziers. Seulement, voilà : il faut trouver un nom à l'établissement. Le couple se creuse les méninges en passant en menu détail les spécificités de la cité héraultaise. Réputée pour sa tradition viticole, son rugby et sa feria, la ville est aussi étroitement associée au Bel Canto. Le chef n'a que l'embarras du choix... Et pourtant, Angel Yagues et sa femme s'arrêtent sur "Le Framboisier". Cette baie issue d'une ronce personnifie pour Angel sa sensibilité. La décision est prise. Mieux : "Le Délice du Framboisier" devient le dessert phare de la maison.

La nymphe Ida doit être aux anges. Selon la mythologie, elle se serait piquée le doigt en cueillant des baies pour le jeune Jupiter. Les framboises, qui jusque-là étaient blanches, se colorèrent soudain en rouge. C'est peut-être pour cela que ce fruit est fragile et se conserve très mal. Son goût sucré et légèrement acide est très parfumé.

Pour cette recette, les framboises sont mixées avec du sucre. Respectez bien les dosages : le poids du sucre correspond toujours à la moitié du poids des fruits. Au moment de la préparation, vous pouvez intégrer un jus de citron pour faire ressortir les arômes des fruits. Pensez également à mettre de côté un peu de coulis pour accompagner les parts de génoise.

Ce dessert est un classique de la pâtisserie. Cependant, sa préparation est assez longue. La génoise, qui tire son nom de la ville de Gênes, est un gâteau léger. Pour sa réalisation, pensez à bien tamiser la farine afin d'ôter les petits grains. Avant d'enfourner, chemisez le moule avec du beurre fondu. Attention : pendant la cuisson, n'ouvrez jamais le four. L'appel d'air ferait retomber la pâte. Le chef vous conseille de mettre le délice au réfrigérateur, une heure, pour que la Chantilly se reprenne. Enfin, il avoue du bout des lèvres qu'à défaut de framboises, vous pouvez toujours confectionner ce dessert... avec des fraises !

Confectionnez la génoise en faisant tiédir dans une casserole, les œufs et le sucre. Mélangez le tout au fouet. Montez au batteur à grande vitesse. Tamisez la farine et incorporez-la au mélange. Beurrez et farinez le moule et faites cuire à 200°C environ 15 min.

Réalisez la crème pâtissière en mélangeant au fouet les jaunes d'œufs et le sucre pour les blanchir. Ajoutez la vanille et la farine. Mélangez avec le fouet. Versez le lait chaud et laissez cuire 5 min, en continuant de battre. Laissez refroidir et mettez la crème au réfrigérateur pendant 1 h.

À l'aide d'un couteau, ouvrez la génoise en 2. Préparez ensuite votre coulis de framboises en plaçant les fruits rincés et 200 g de sucre dans le mixeur, à la vitesse maximum. Tamisez et réservez. Mettez de côté un peu de coulis pour la décoration.

u framboisier

ANGEL
YAGUES

Cuisson : 20 min

Réfrigération de la crème : 1 h

Garnissez la partie inférieure de la génoise avec la crème pâtissière et parsemez de framboises. Recouvrez-la avec la partie supérieure.

Montez au batteur, à vitesse maximum, la Chantilly avec la crème fraîche en incorporant 3 min avant la fin les 100 g de sucre. Mélangez le coulis de framboises à la Chantilly en remuant délicatement avec le fouet.

À l'aide d'une douille cannelée, décorez l'entremets avec la Chantilly à la framboise. Sur chaque rosace de crème, placez une feuille de menthe et une framboise.

JEAN-CLAUDE
VILA

Le mel y mat

4 personnes ★ **Préparation : 15 min**

4 fromages de chèvre frais à la faisselle
200 g de carottes
1 aubergine
70 g de miel de romarin
140 g de sucre
10 cl de lait
1/3 de gousse de vanille

Décoration :
Fleurs de romarin

En catalan, *mel y mato* signifient miel et fromage frais. Jean-Claude Vila s'est inspiré d'une recette traditionnelle et l'a revisitée : *"Je me suis aperçu que certains légumes se mariaient très bien au sucré. Pour ce dessert, j'utilise donc des carottes et de l'aubergine"*.

Le fromage de chèvre frais à la faisselle contient au moins 45% de matières grasses. Son goût assez neutre peut éventuellement se rapprocher d'un fromage frais de vache. Pour réaliser cette recette, choisissez des fromages d'environ 120 grammes.

Le miel, apanage des dieux dans l'Antiquité apporte toute sa douceur. Cette substance, fabriquée par les abeilles à partir du nectar des fleurs, est entreposée dans les rayons de la ruche. Son pouvoir énergétique est supérieur à celui du sucre. Le miel de romarin, extrait de cette plante méditerranéenne rappelle l'arrière-pays catalan. Ses feuilles persistantes, vertes sombres dessus, blanchâtres dessous, sont utilisées par notre chef pour décorer les assiettes.

La préparation sucrée des carottes devrait réconcilier bon nombre d'enfants avec cette plante potagère. Cultivé pour sa racine rouge-orangé, ce légume, très apprécié des Français, est riche en vitamine A. Choisissez de préférence des carottes nouvelles. Cependant, en fonction de leur grosseur et de leur qualité, modulez le temps de cuisson.

N'oubliez pas de conserver la gousse de vanille. Une fois cuite, fendez-la en deux et récupérez les petites graines. Ajoutez-les ensuite au mélange de miel et de carottes.

La touche personnelle de notre chef se retrouve également dans les tranches d'aubergine. Craquantes à souhait, elles sont indispensables et harmonisent idéalement la décoration des assiettes.

Le *mel y mato* de Jean-Claude Vila est un dessert facile à réaliser. Judicieusement adaptée, cette recette de l'arrière-pays catalan se distingue par son raffinement.

Lavez l'aubergine. Coupez-la dans le sens de la longueur en fines tranches.

Préparez le sirop en portant à ébullition 24 cl d'eau avec 140 g de sucre. Pochez les tranches d'aubergine, 2 à 3 min, dans le sirop chaud.

Égouttez légèrement les tranches d'aubergine. Disposez-les sur une plaque recouverte de papier sulfurisé. Mettez au four jusqu'à coloration, environ 8 min, à 170°C.

le Jean-Claude Vila

Cuisson : 40 min

Épluchez et coupez les carottes. Mettez-les dans une casserole, avec le lait, 10 cl d'eau et la vanille. Laissez cuire à couvert 15 min. Enlevez le couvercle et laissez cuire jusqu'à l'évaporation du lait. Tamisez les carottes pour obtenir une purée et incorporez les graines de vanille.

Ajoutez 30 g de miel à la purée de carottes. Faites réduire à feu doux, environ 10 min.

Égouttez les fromages dans du papier absorbant. Placez dessus des fleurs de romarin et versez 40 g de miel tiède. Déposez le fromage dans l'assiette, avec la purée de carottes et la tranche d'aubergine caramélisée.

4 personnes ★ **Préparation : 1 h**

4 physalis

Fond praliné :
10 g de chocolat noir
80 g de pâte pralinée
5 g de beurre de cacao
100 g de feuillantine

Mousse à la réglisse :
2 œufs
50 g de sucre
20 cl de crème fraîche liquide
2 feuilles de gélatine
4 g d'extrait de réglisse

Meringue italienne :
2 œufs
40 g de sucre

Mousse au chocolat au lait :
2 œufs
50 g de sucre
20 cl de crème fraîche liquide
90 g de chocolat au lait
40 g de chocolat noir

Crème anglaise à la réglisse :
2 œufs
50 g de sucre
50 cl de lait
2 g d'extrait de réglisse

Ce dessert est une spécialité du Miramar, restaurant de Jean-Michel Minguella. Conçue par Fabrice Vaquer, son chef pâtissier, cette gourmandise rend hommage à la célèbre avenue : la Canebière, qui traverse la ville de Marseille, pour aboutir sur le Vieux Port. Jadis cette dernière était pavée, et c'est pour cela que le dessert s'intitule "Pavé de la Canebière".

Ce délice à la réglisse renferme une partie de l'histoire de la vieille ville. Naguère non loin de la Canebière, s'érigeait une usine de transformation de réglisse. Saviez-vous qu'avant de se retrouver en extrait, la réglisse était d'abord un arbrisseau ? Ses racines dénommées : "bois de réglisse", sont souvent proposées en bâtonnets à mâcher. Le suc que l'on extrait de ces arbres sert à parfumer des alcools, des bières et à confectionner des sucreries. L'extrait de réglisse doit être manipulé avec parcimonie car son arôme est très puissant. Veillez à ne pas avoir la main leste.

Ainsi, le Miramar, par la force des choses, est devenu un temple du souvenir marseillais. Les saveurs que l'on y rencontre racontent la ville portuaire. Chaque élément de ce dessert fait allusion à la cité antique. Le chocolat qui le compose symbolise son exotisme et son cosmopolitisme.

En ce qui concerne le fruit qui agrémente ce mets sucré, il est d'origine péruvienne, et se nomme parfois "amour en cage". Selon la saison, le physalis peut être substitué par d'autres fruits acidulés, tels que la carambole, le kiwi ou l'ananas. Outre son apparence de cerise orange très esthétique, le physalis n'a pas seulement été élu pour sa beauté, mais pour sa pointe aigrelette qui ravive les papilles alanguies par la douceur du sucre. Il modère le chocolat et tempère la saveur sucrée du pavé.

L'originalité du pavé de la Canebière ne laisse pas indifférent, une fois que l'on y a goûté, on ne peut plus s'en passer !

Faites fondre au bain-marie le chocolat noir, le beurre de cacao et la pâte pralinée. Pour la crème anglaise blanchissez 2 jaunes d'œufs avec le sucre. Chauffez le lait, versez-en la moitié sur l'appareil. Recuisez avec l'autre moitié à feu doux en remuant. Ajoutez la réglisse.

Tamisez la crème et réservez-la au frais. Ajoutez les feuillantines brisées en paillettes dans le chocolat et le praliné fondus. Étalez ce mélange sur une feuille de papier sulfurisée sur 1/2 cm d'épaisseur. Réservez au congélateur ce fond 10 min.

Pour la mousse à la réglisse : blanchissez au fouet 2 jaunes d'œufs et le sucre. Versez l'extrait de réglisse et la gélatine préalablement trempée dans de l'eau froide et fondue dans 2 c. à s. d'eau chaude. Cuisez 40 g de sucre et 10 cl d'eau à 120°C et versez sur les 2 blancs montés et refroidis au batteur.

le la Canebière

JEAN-MICHEL
MINGUELLA

Cuisson : 15 min

Temps de réfrigération : 1 h 30

Incorporez cette meringue italienne à la crème à la réglisse. Ajoutez 20 cl de crème liquide préalablement fouettée. Étalez cette mousse sur le fond au praliné. Refroidissez 20 min au congélateur.

Montez 20 cl de crème liquide en Chantilly au batteur électrique et réservez. Montez 2 jaunes d'œufs au batteur électrique. Versez le sucre préalablement cuit à 110 °C. Refroidissez ce sabayon au batteur électrique. Faites fondre au bain-marie les 2 chocolats : lait et noir.

Mélangez le sabayon avec les chocolats fondus. Ajoutez en 2 temps la Chantilly. Mélangez délicatement. Versez le tout sur la mousse à la réglisse figée. Réfrigérez 1 h. Façonnez les pavés de la Canebière. Surmontez-les d'un physalis. Nappez les assiettes de la crème anglaise à la réglisse.

ALAIN
CARRO

Mazarin pralin

4 personnes ★ Préparation : 1 h

Mazarin au praliné :
150 g de pâte pralinée (noisettes et amandes)
4 œufs
45 g de sucre semoule
50 cl de crème fleurette
50 g de feuillantine (ou 4 pièces de crêpes
bretonnes sèches)
100 g de chocolat noir en tablette à 70%

Nougatine :
150 g de sucre semoule
100 g d'amandes hachées
1 citron

Coulis de mangue :
1 mangue
2 kiwis
30 cl de Grand Marnier
1 botte de menthe fraîche
(facultatif pour la décoration)

Le fondant et la douceur de cette crème glacée n'ont décidément rien à voir avec la dureté de l'une des illustres figures de la politique française, sous Louis XIV : le Cardinal Mazarin. Mais en pâtisserie le Mazarin est un gâteau composé de deux fonds : d'une dacquoise qui est à mi-chemin entre la meringue et le biscuit et d'une couche de mousse pralinée. Autrefois, c'était une génoise très épaisse, évidée et garnie de fruits confits au sirop.

Le dessert d'Alain Carro requiert une nuit de repos au congélateur, et au minimum 5 heures, avant le dressage final. Avec ce dessert, notre chef se distingua en remportant le concours de l'Académie des glaces en 1997. Ce mets ne présente aucune difficulté dans sa réalisation, il peut être préparé par des enfants. En revanche vous ne laisserez pas les petits marmitons confectionner le caramel.

Dire que c'est délicieux est un euphémisme, cette préparation est d'autant plus agréable qu'elle n'est pas trop coûteuse ! La nougatine n'est pas obligatoire, mais elle est indispensable pour les gourmands que vous inviterez.

Si vous trouvez que les amandes sont trop claires, vous les grillerez légèrement, afin qu'elles brunissent un peu. Cela sera meilleur. Travaillez la nougatine, en la passant au four pour la ramollir. Vous l'étalerez au rouleau, le plus finement possible, sur un plan huilé. À ce niveau de la préparation, c'est le moment le plus ludique, car vous pouvez imaginer des formes incroyables avec la nougatine tiède.

Selon la saison, vous pouvez remplacer les kiwis par des pêches blanches. L'acidité du coulis de mangue, comme les kiwis ou les pêches, réveille et rafraîchit le palais.

Pour les Mazarin, confectionnez l'appareil en séparant d'abord les jaunes d'œufs. Montez-les au batteur. Parallèlement, cuisez le sucre jusqu'à l'obtention d'un sirop, dit "petits boulets", 5 à 7 min. Ajoutez le sirop à l'appareil. Ce mélange doit refroidir.

Pour la Chantilly non sucrée, montez la crème fleurette au fouet ou au batteur. Mélangez délicatement la pâte pralinée, les crêpes bretonnes préalablement brisées en petits morceaux, la Chantilly, et l'appareil.

Recouvrez un plat d'un film alimentaire sur lequel vous moulerez la préparation dans des petits cercles à pâtisserie de 8 cm de diamètre et 6 cm de haut. Mettez-les tous au congélateur, pendant toute une nuit ou 5 h minimum.

t son coulis de mangue

ALAIN
CARRO

Cuisson : 15 min

Congélation : minimum 5 h

Faites la nougatine en cuisant un caramel avec le sucre et le jus du citron. Ajoutez les amandes hachées, mélangez le tout. Étalez-la, puis concassez-en finement l'équivalent de 4 c. à s. pour obtenir une brisure. Réservez le tout pour la décoration.

Pour le glaçage au chocolat, faites fondre le chocolat au bain-marie, et coulez le chocolat en fine couche, en faisant attention de ne pas déborder.

Parsemez sur les Mazarin, la brisure de nougatine. Faites le coulis en mixant la chair d'une mangue, passez la mixture à l'étamine pour avoir un rendu très lisse. Ajoutez le Grand Marnier. Taillez des rondelles de kiwis et disposez-les autour du Mazarin. Apprêtez le coulis de mangue autour du Mazarin.

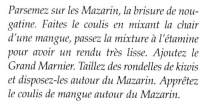

Pannequets à la poir

4 personnes ★ **Préparation : 15 min**

2 poires
15 g de beurre
50 g d'amandes effilées
20 g de raisins secs
1 cl d'alcool de poires
1 cuillère à soupe de sucre

Pâte :
125 g de farine
1 pincée de sel
50 g de sucre

3 œufs
50 cl de lait
1 citron non traité
1 orange non traité

Crème anglaise :
55 g de sucre
25 cl de lait
3 œufs

Décoration :
1 orange non traitée

La recette des pannequets à la poire de Francis Robin est un clin d'œil à son passé. Lorsqu'il était plus jeune et encore marmiton, notre Maître Cuisinier de France d'aujourd'hui, excellait déjà à l'élaboration de la pâte à crêpes ou des pannequets.

À l'origine, ces derniers désignent des apprêts salés ou sucrés, composés d'une crêpe fourrée d'un hachis, d'une purée ou d'une crème. Mets très conviviaux et faciles à réaliser, ils investissent très souvent les menus, soit en entrée, en hors-d'œuvre chaud, ou comme nous vous le proposons, en entremets sucré.

Pour ce qui est de la pâte, Francis Robin préconise 30 min de temps de repos. Vous pouvez cependant la laisser reposer 1 heure. Afin que les crêpes n'attachent pas à la poêle, utilisez un modèle antiadhésif. Et pour plus d'assurance, entre chaque cuisson, passez dans le fond de la poêle un papier absorbant imbibé d'huile.

Comme la poire aime l'amande, il était naturel que toutes deux soient réunies dans la recette de Francis Robin. Les poires choisies pour la confection de ce dessert, sont des louise-bonne d'Avranches, délicieuses en automne. Quelque peu ventrues, de taille moyenne, elles possèdent un épiderme lisse et une jolie couleur jaune, avec une face rosée. Leur pointe d'acidité réveille la suavité de la crème anglaise. À défaut de louise-bonne, vous pourrez utiliser des passe-crassane ou des williams.

Francis Robin vous suggère de préparer les pannequets pour les fêtes de fin d'année, avec d'autres fruits secs mélangés comme des noisettes, des amandes hachées, des pignons de pin ou des dattes. Par ailleurs, l'alcool de poires n'est pas indispensable sauf pour les amateurs. Ultime conseil pour mieux déguster les pannequets : préparez-les au dernier moment, ils sont meilleurs tièdes !

Pour la crème anglaise, mettez le lait à bouillir. Pendant ce temps, fouettez les œufs avec le sucre pour les blanchir. Délayez vivement cette préparation avec le lait chaud. Versez le tout dans la casserole, et faites prendre en crème sur feu doux, en remuant sans cesse.

Préparez la pâte à crêpes : dans un saladier, versez la farine en fontaine avec 1 pincée de sel. Ajoutez le sucre. Cassez les 3 œufs, mélangez. Délayez avec 50 cl de lait. Râpez les zestes de citron et d'orange par-dessus. Mélangez, et laissez reposer la pâte 30 min. Puis faites vos crêpes.

Épluchez les poires. Éliminez le cœur et les pépins. Débitez la chair en tout petits cubes. D'autre part, faites gonfler les raisins à la vapeur.

le Francis Robin

FRANCIS
ROBIN

Cuisson : 20 min   **Repos de la pâte à crêpes : 30 min**

Faites chauffer 10 g de beurre dans une poêle, puis faites revenir les cubes de poires additionnées d'1 c. à s. de sucre et d'alcool de poires.

Lorsque l'alcool de poires a réduit, ajoutez les raisins égouttés et les amandes effilées. Mélangez-les avec les cubes de poires. Faites vos crêpes dans une poêle, en utilisant le restant de beurre pour les cuire.

Fourrez les crêpes de mélange aux fruits. Refermez-les en aumônière, attachée avec un lacet de zeste d'orange. Nappez vos assiettes de crème anglaise, et servez tiède.

JOËL
GARAULT

Poêlée de fruits rouge

4 personnes   ★   **Préparation : 30 min**

Fruits rouges :
125 g de framboises
200 g de fraises
50 g de mûres
20 g de groseilles
10 cl de Marasquin
20 g de beurre
20 g de miel
100 g de pignons de pin
250 g de sucre
1 gousse de vanille

Glace verveine :
15 cl de lait
10 cl de crème fraîche liquide
3 œufs
50 g de sucre
1 branche de verveine

Décoration :
4 feuilles de menthe

La poêlée de fruits rouges et sa glace verveine est une recette originale, imaginée par notre chef. Ce dessert de printemps, facile à préparer, est un véritable délice.

Tous les petits fruits rouges sont délicats et fragiles. Très juteux, ils doivent être manipulés avec soin et transportés dans des boîtes hermétiques. Après l'achat, ils se consomment rapidement. Choisissez des fruits pas trop mûrs. Selon la saison, vous pouvez élaborer ce dessert avec des fraises des bois, des arbouses, des airelles et des cerises.

Le Marasquin est une liqueur préparée par édulcoration de l'eau-de-vie, élaborée avec les noyaux de marasque. Cette variété de cerise amère est originaire de Dalmatie, une région montagneuse côtière de la Croatie. Le Marasquin sert surtout en confiserie et en pâtisserie. Vous pouvez le remplacer par du Kirsch.

L'idée de créer une glace verveine a germé dans la tête de Joël Garault le jour où sa belle-mère lui a offert un plant. Notre chef a souhaité mettre à l'honneur cette plante de la famille des verbénacées, cultivée surtout pour ses vertus médicinales. Avec les feuilles et les sommités fleuries de la verveine odorante, les herboristes préparent une infusion recommandée pour le foie et les reins. Selon la saison, si vous avez la chance de posséder des plants de verveine, utilisez les feuilles en décoration à la place de la menthe. Vous pouvez même en émincer quelques-unes et les ajouter à la cuisson des fruits rouges.

Le pignon grillé apporte tout son croquant à cette recette. Riche en lipides et en glucides, il s'avère très énergétique. Son goût résineux et corsé rappelle celui de l'amande. Pour conserver la consistance craquante, vous pouvez ajouter des biscuits secs.

La poêlée de fruits rouges et sa glace verveine est un dessert aux saveurs singulières. Cette création regorge de délicatesse et de douceur. À découvrir sans tarder.

Préparez la crème glacée en blanchissant les jaunes d'œufs avec le sucre. Faites bouillir le lait et ajoutez la verveine et le mélange blanchi. Versez la crème fraîche dans le lait bouillant infusé à la verveine. Laissez infuser 4 h.

Chinoisez la crème verveine et turbinez. Préparez le sirop en portant à ébullition 50 cl d'eau, 250 g de sucre et la gousse de vanille. Laissez infuser le temps que le sirop refroidisse. Enlevez la gousse de vanille et réservez-la.

Faites sauter les pignons dans une poêle très chaude sans ajouter de matière grasse. Quand ils sont grillés, concassez-les avec 1 fraise, préalablement lavée.

t sa glace verveine

JOËL
GARAULT

Cuisson : 20 min

Infusion de la crème glacée : 4 h

Préparez les fruits rouges en rinçant les framboises, les fraises, les mûres et les groseilles. Égrainez les groseilles. Équeutez les fraises. Dans une poêle, faites caraméliser le miel et le beurre.

Ajoutez les fruits rouges entiers et les fraises coupées en 2 dans la poêle contenant le caramel. Vannez.

Déglacez les fruits au Marasquin et au sirop, ajoutez la gousse de vanille. Laissez chauffer 3 min à feu doux. Dressez l'assiette en posant une boule de glace sur les pignons concassés, ajoutez les fruits et décorez avec une feuille de menthe.

JOËL GARAULT

Poire au miel et sa

4 poires comice de 120 g pièce
20 g de miel d'acacia
40 g de beurre
1 gousse de vanille
3 oranges

Glace au pain d'épices :
100 g de pain d'épices
15 cl de lait
10 cl de crème fraîche liquide
3 œufs
50 g de sucre semoule

Tuile gingembre :
40 g de beurre
100 g de sucre glace
50 g de pulpe passion
25 g de farine
30 g de gingembre frais

Décoration :
4 feuilles de menthe

La poire au miel et sa glace au pain d'épices est une recette imaginée par le chef. Les ingrédients utilisés proviennent de la région fruitière et apicole des Alpes-de-Haute-Provence. Ce dessert, facile à réaliser, est un savoureux mélange de sucré-épicé.

Selon la saison, procurez-vous des poires donneyé du comice. Pour Joël Garault, cette variété dévoile à la cuisson un grain assez fin. Elle se caractérise aussi par une chair fondante sucrée et très juteuse. Choisissez des poires non tachées, parfaitement lisses et à peine souples sous la pression du pouce.

Dans l'Antiquité, le miel était l'apanage des dieux. À la fois aliment et offrande, il symbolisait la richesse et la félicité. Cette substance, fabriquée par les abeilles à partir du nectar des fleurs, est entreposée dans les rayons de la ruche. Son pouvoir énergétique est supérieur à celui du sucre. Le miel d'acacia est réputé pour sa douceur.

Selon votre goût, vous pouvez opter pour un miel de lavande ou de sapin.

Une glace au pain d'épices ! Surprenant ? Pourtant ce choix n'est pas anodin : cette glace apporte à la poire un goût de caramel et se marie idéalement au miel d'acacia.

Quant au gingembre, il transmet son goût légèrement épicé à ce dessert sucré. Son tubercule aromatique, au goût piquant, est souvent utilisé frais confit dans du sucre ou en poudre. Les tuiles peuvent être confectionnées la veille et conservées dans un endroit sec. Pour faciliter leur réalisation, le beurre doit être à température ambiante.

La poire au miel et sa glace au pain d'épices est un véritable délice. Si vous êtes inspiré par ce dessert, vous pouvez laisser parler votre sens artistique comme notre chef et dessiner selon votre humeur une autre décoration. De quoi étonner réellement vos convives...

Préparez la crème glacée en blanchissant les jaunes d'œufs avec le sucre. Faites bouillir le lait et versez-le dans le mélange blanchi, ajoutez le pain d'épices coupé en morceaux et la crème fraîche. Laissez infuser 4 h. Chinoisez la crème en enlevant le pain d'épices et turbinez.

À l'aide d'un économe, épluchez les poires. Ôtez les queues et évidez-les. Coupez-les en quartiers.

Dans un sautoir, faites caraméliser 20 g de beurre avec le miel d'acacia. Ajoutez les poires et faites-les bien revenir.

glace au pain d'épices

JOËL
GARAULT

Cuisson : 20 min

Infusion de la crème glacée : 4 h

Déglacez avec le jus des oranges. Ajoutez la gousse de vanille fendue en 2. Laissez cuire à feu doux pendant 5 min. Réservez les poires et la gousse de vanille. Montez le jus de cuisson, avec 20 g de beurre.

À l'aide d'un fouet, préparez les tuiles en mélangeant le beurre et le sucre glace. Ajoutez la pulpe passion, la farine et le gingembre râpé.

À l'aide d'une spatule, étalez en longues languettes la préparation sur du papier sulfurisé. Faites cuire au four à 210°C, pendant 4 min. Dressez dans l'assiette 5 quartiers de poires, 1 quenelle de glace au pain d'épices, la tuile et la gousse de vanille, la menthe. Versez un cordon de sauce.

4 poires louise-bonne d'Avranches
2 pruneaux secs
2 abricots secs
2 figues sèches
30 g d'amandes grillées
30 g de noisettes grillées
10 g de beurre
50 g de cassonade
50 g de miel de lavande liquide

Crème d'amandes :
60 g de beurre
60 g de sucre glace
60 g de poudre d'amandes
20 g de farine
1 œuf
3 gouttes d'extrait d'amandes amères

Décoration :
Feuilles de menthe

Reine du verger, la poire était déjà célébrée par le poète latin Virgile. Nous pouvons vivement remercier la grande Rome d'avoir développé différentes variétés de poires en Occident. Sans conteste, les Français aiment la poire. Elle agrémente de nombreux entremets comme les charlottes, ou la fameuse tarte Bourdaloue, qui l'associe avec une crème d'amandes.

Sachez que les poires continuent de mûrir après la cueillette. Choisissez-les assez fermes si vous voulez les apprécier quelques jours plus tard. Achetez-les si possible à la fin de votre marché, afin qu'elles soient transportées sur le haut du panier. En effet, la moindre meurtrissure accélère leur dégradation.

Notre chef utilise pour sa recette de la louise-bonne d'Avranches, variété très connue dans le Sud, même si elle porte le nom d'une ville normande. C'est un fruit juteux de couleur vert-jaune avec une face rouge et rousse, disponible de septembre à décembre. Sa chair est fine, sucrée et musquée. À défaut de louise-bonne d'Avranches, notre chef vous recommande d'utiliser des passe-crassane ou des pommes jonagold, qui sont légèrement acides et sucrées.

Afin d'avancer la cuisson des poires, vous pouvez les précuire 3 à 4 minutes au four à micro-ondes. Pour apprécier leur cuisson, piquez-les au couteau. Vous les enfournerez selon notre recette initiale 8 à 10 min, en les caramélisant sous le gril. Manipulez avec précaution l'extrait d'amandes amères. Incorporé en trop grande quantité, il pourrait dénaturer la saveur du dessert.

Les "mendiants" qui garnissent les poires désignent en général un assortiment de quatre sortes de fruits secs : amande, figue, noisette et raisin de Malaga. Notre recette déroge un peu à ce précepte, en proposant cinq fruits secs, les raisins étant remplacés par des abricots et des pruneaux.

Pelez les poires sans les équeuter. Évidez-les par l'intérieur à l'aide d'une cuillère parisienne. Réservez-les, en les recouvrant d'un film alimentaire pour les empêcher de noircir.

Pour la crème d'amandes, travaillez ensemble le beurre ramolli, le sucre, la poudre d'amandes, la farine et l'œuf entier. Incorporez quelques gouttes d'extrait d'amandes amères. Mélangez bien le tout.

Préchauffez votre four à 160°C. Versez amandes, noisettes, figues, pruneaux et abricots sur le plan de travail. Hachez-les avec votre couteau-chef.

ux mendiants

GEORGES
ROUSSET

Cuisson : 15 min

Transférez tous les fruits dans un saladier. Liez-les avec la crème d'amandes, et mélangez bien.

À l'aide d'une petite cuillère, farcissez l'intérieur de chaque poire avec de la crème d'amandes aux fruits secs. Faites fondre 10 g de beurre.

Enduisez les poires de beurre fondu, et saupoudrez de cassonade. Enfournez-les pendant 15 min à 160°C. Terminez la cuisson en les caramélisant sous le gril. Zébrez les assiettes de miel liquide, dressez la poire au centre et décorez de menthe.

DANIEL
ETTLINGER

Pommes rôties au fou

4 personnes ★ Préparation : 20 min

4 pommes golden
50 g de polenta moyenne
20 cl de lait
5 cl de crème fraîche liquide
50 g de pignons de pin
50 g de raisins secs
30 g de beurre
150 g de sucre semoule

5 cl de Calvados
1 gousse de vanille
4 boules de glace vanille

Chantilly :
5 cl de crème fraîche
15 g de sucre

Les pommes rôties au four et leur polenta vanillée est un savant métissage de saveurs. Cette création de notre chef rallie par ses ingrédients les rivages de la Méditerranée, aux bocages normands.

Pour leur part, les pommes ne connaissent pas de frontière. Répandues à travers le monde et consommées par de très nombreux peuples, elles sont présentes toute l'année sur les marchés. Pour ce dessert, notre chef a choisi la variété golden. De couleur jaune doré, elle est reconnaissable à sa peau lisse, sa chair jaune croquante et juteuse. Les amateurs de golden apprécient particulièrement sa saveur fine assez sucrée et légèrement acidulée.

Comme pour cette recette, les préparations aux pommes sont souvent associées au Calvados. Pour Daniel Ettlinger, cette eau-de-vie de cidre normande se doit de figurer sur la liste des ingrédients. Impossible à ses yeux de marier les pommes à un autre alcool. Son arôme si spécifique doit absolument imprégner, lors de la marinade, les raisins secs.

Ces raisins justement, qui dans ce dessert, resserrent les liens entre la Méditerranée et le Nord de la France. Notre chef affiche sa préférence pour ceux de Corinthe. Leurs petits grains foncés, sans pépins se caractérisent par une saveur très typée.

Autre retour aux sources avec la polenta. Cette semoule de maïs se retrouve dans de nombreux plats niçois. Consommée généralement salée, la polenta puise ses origines en Italie du nord. Vous pouvez toujours accompagner vos pommes avec une semoule de blé. Quant au pignon, son goût résineux et corsé rappelle celui de l'amande par laquelle il peut être remplacé.

Pour cette recette, vous devez préparer une Chantilly. Montez au batteur, à vitesse maximum, la crème fraîche en incorporant trois minutes avant la fin les 15 g de sucre.

Dans les assiettes, ce dessert, très facile à réaliser, est un heureux mariage culinaire pour les papilles...

À l'aide d'un économe, épluchez les pommes. Coupez-les en 2. Évidez-les. Faites macérer les raisins dans le Calvados pendant 30 min.

Beurrez le plat et sucrez-le légèrement. Disposez les pommes dans le plat.

Saupoudrez les pommes avec 50 g de sucre. Mettez-les au four à 250°C, pendant 30 min. Préparez les pignons en les mélangeant dans une casserole, à feu doux, avec 30 g de sucre. Mélangez bien jusqu'à coloration des pignons.

t polenta vanillée

DANIEL
ETTLINGER

Cuisson : 30 min   **Macération des raisins : 30 min**

Démarrez la polenta en faisant bouillir le lait, la gousse de vanille, la crème fraîche et le sucre restant. Incorporez la polenta dans le lait en remuant avec le fouet et laissez cuire à feu doux en recouvrant la casserole, pendant 20 min.

Enlevez les raisins du Calvados. Déglacez les pommes avec le Calvados. Réservez. Préparez la Chantilly avec le sucre et la crème.

Hachez les raisins et incorporez-les à la polenta. À l'aide d'un cercle, placez dans l'assiette la polenta puis ajoutez dessus la pomme. Décorez avec une touche de crème Chantilly, parsemez les pignons grillés et les raisins hachés. Ajoutez une boule de vanille.

Ratatouille de fruit.

4 personnes	★★	Préparation : 1 h 30

4 figues fraîches	20 g de pomme granny-smith	20 g d'ananas	30 g de citron
Sorbet gingembre :	20 g de poire william	20 g de fruit de la Passion	70 g de sucre
100 g de gingembre frais	20 g d'orange		20 g d'aneth
1 cuillère à soupe de sirop de gingembre	20 g de pamplemousse	**Coulis :**	15 g de Vitpris
1 citron	20 g de mangue	30 g de pamplemousse rose	
100 g de sucre	20 g de banane	30 g d'orange	**Décoration :**
5 g de glucose atomisé	20 g de tomate confite	30 g de poire comice	Menthe fraîche (facultatif)
	20 g de grenade	30 g de pomme golden	Framboises
Ratatouille :	20 g de citron	30 g de fraise	Feuilles d'aneth
20 g de fraises	20 g de raisin blanc muscat	30 g de framboise	
20 g de framboises	20 g de raisin noir muscat	30 g de fruit de la Passion	

Habituellement, la ratatouille désigne un ragoût de légumes. Typiquement provençal, ce plat d'origine niçoise est ici complètement remanié par le chef pour être métamorphosé en dessert : courgettes, aubergines, poivrons et tomates sont remplacés par une myriade de fruits.

Pour préparer cette recette, armez-vous de patience. Particulièrement long, le taillage des fruits demande une bonne heure minimum. Prenez soin de les découper minutieusement, afin d'éviter des consistances différentes au moment de les consommer. Pour la préparation du coulis où vous devez utiliser le chinois, il est inutile de les peler.

La figue occupe une place de choix dans ce dessert. C'est elle, en effet, qui est mise en lumière. Attention, cependant : ce fruit fragile ne se conserve pas plus de 24 h. Mûre, la figue présente de petites crevasses superficielles et résiste peu à la pression du doigt. Elle ne doit pas pour autant être trop molle. La fermeté de la queue est un bon indice de fraîcheur. Pour vider les figues, utilisez de préférence une cuillère à pommes parisienne. Conservez la chair, qui une fois hachée sera incorporée dans le coulis.

Originaire d'Orient, l'aneth est une plante aromatique de la famille des ombellifères. Communément appelée "faux anis" ou "fenouil bâtard", elle était à Rome le symbole de la vitalité. Gardez-en quelques feuilles pour la décoration finale.

Le gingembre se retrouve en sorbet. Cultivée dans les pays chauds, originaire des Indes et de Malaisie, cette plante de la famille des zingibéracées était très appréciée au Moyen Âge. Son tubercule aromatique, au goût piquant, est souvent utilisé frais confit dans du sucre ou en poudre. Si le sorbet vous paraît trop fort ou trop sucré, rectifiez-le en ajoutant du jus de citron. Vous pouvez décorer vos assiettes en y plaçant quelques framboises.

Lavez tous les fruits de la ratatouille et découpez-les en petits dés. Coupez le raisin en 2 et épépinez-le. Réservez un peu de ratatouille pour garnir les figues et le reste pour l'ajouter au coulis.

Épluchez le gingembre, taillez-le en julienne et faites-le blanchir. Confectionnez le sirop avec le sucre et 1 l d'eau. Ajoutez le gingembre. Laissez confire. Réalisez le sorbet avec le gingembre confit, 50 cl d'eau et les autres ingrédients. Turbinez et mettez au congélateur.

Après avoir lavé et coupé les fruits du coulis, videz les figues au maximum pour conserver la chair. Mélangez-la au coulis. Écrasez. Passez le tout au chinois.

rais, sorbet gingembre

LAURENT BROUSSIER

Cuisson : 15 min

Dans la ratatouille de fruits réservée, ajoutez le sucre et l'aneth haché.

Mixez tous les fruits du coulis et de la ratatouille à grande vitesse, sans oublier le Vitpris. Liez ensuite avec un peu de sirop.

Remplissez délicatement les figues avec de la ratatouille. Posez-les sur les disques de sorbet au gingembre. Décorez avec les feuilles d'aneth.

Riz au lait d

4 personnes ★★ Préparation : 20 min

100 g de riz rond
50 cl de lait
60 g de sucre
1 zeste d'orange
1 gousse de vanille
10 cl de crème fraîche liquide
2 œufs
8 pistils de safran
6 figues sèches
5 cl de Banuyls

Sorbet de vin aux épices :
30 cl de vin rouge
1 orange
5 grains de poivre noir
1/2 bâton de cannelle
1 clou de girofle
5 baies de genièvre
1 pincée de muscade en poudre
100 g de sucre

Décoration :
4 feuilles de menthe
24 framboises

Jean-Claude Vila se souvient avec tendresse du riz au lait que lui confectionnait sa mère. Mamie Conchita, excellente cuisinière, n'hésitait pas à incorporer le safran, utilisé surtout pour la paella, aux autres ingrédients de ce dessert. Cette recette familiale rappelle les saveurs de l'enfance. En rentrant de l'école, notre chef dégustait des tranches de pain grillées sur lesquelles Conchita ajoutait un peu de vin aux épices.

Le riz est une des céréales les plus cultivées dans le monde après le blé. Poussant à sec, sur des terrains marécageux ou irrigués, il était connu en Chine plus de 3000 ans avant l'ère chrétienne.

Mélangé au safran, le goût du riz au lait devient subtil à condition de bien respecter le dosage de l'épice. Renommée pour son odeur piquante et sa saveur amère, elle est irremplaçable. Extrait des stigmates du crocus, le safran se présente sous forme de filaments brunâtres séchés ou de poudre jaune orangé.

Le vin aux épices, préparation typiquement catalane, se retrouve en sorbet. Nous vous conseillons vivement de le préparer la veille.

Originaires d'Orient, les épices se caractérisent par des saveurs plus ou moins piquantes. Dans l'histoire gastronomique, elles ont longtemps été associées à une cuisine raffinée et élitiste.

Pour réaliser le sorbet, il est impératif d'incorporer au vin au moins une des épices indiquées dans cette recette.

Le vin de Banyuls, qui aromatise la confiture de figues, est un AOC. Il tire son nom d'une commune du Roussillon où il est produit. Ce vin doux naturel se consomme généralement en apéritif.

Le riz au lait de mamie Conchita est un dessert facile à réaliser. Raffiné, il devrait particulièrement enchanter les papilles des gourmets.

Confectionnez le sorbet au vin en découpant le quart de l'orange en 2. Mettez toutes les épices, le sucre et le vin. Chauffez avec le couvercle, à feu doux, 1 h, sans faire bouillir. Laissez infuser 4 h. Chinoisez et turbinez.

Faites blanchir le riz en le recouvrant, à hauteur, d'eau. Portez à ébullition 5 min. Égouttez et rincez.

Mettez le riz en cuisson avec le lait, la gousse de vanille fendue en 2 et le zeste d'orange. Laissez cuire 20 min.

Mamie Conchita

JEAN-CLAUDE
VILA

| Cuisson : 1 h | Infusion du sorbet au vin : 4 h | Détrempage des figues : 2 h |

Ajoutez le safran et faites cuire 5 min à couvert. Réservez le zeste d'orange et la gousse de vanille pour la décoration.

Incorporez dans le riz, 60 g de sucre, 5 cl de crème fraîche et 2 jaunes d'œufs. Mélangez et retirez du feu.

Préparez la confiture de figues. Plongez dans l'eau bouillante les figues. Hors du feu, faites-les détremper 2 h. Enlevez les queues. Mixez les figues. Ajoutez le Banuyls et 5 cl de crème. Dressez dans l'assiette, le riz, 1 boule de sorbet, la menthe. Ajoutez la confiture et les framboises.

JEAN
PLOUZENNEC

Roulé au fenouil e

4 personnes ★★ **Préparation : 20 min**

Biscuit :
4 œufs
100 g de sucre semoule
50 g de farine
10 g de beurre

Crème légère au fenouil :
5 cl de lait
3 bulbes de fenouil
3 œufs
65 g de sucre semoule
2 feuilles de gélatine
40 cl de crème
fraîche liquide

Fenouil confit :
1 bulbe de fenouil
350 g de sucre semoule
50 g de glucose

**Coulis au miel
et romarin :**
15 cl de miel
8 cl de muscat
50 g de beurre
2 brindilles de romarin

Aubergine confite :
1 aubergine
2 cuillères à soupe de
sucre
15 g de beurre

Fruits déguisés :
250 g de sucre
2 mandarines ou fruits
de saison

Cette très simple recette de gâteau roulé est très prisée sur les tables dominicales. Elle figure dans tous les manuels de cuisine. La présence du fenouil singularise pourtant ce dessert traditionnel. Dans d'autres villes françaises, cette pâtisserie porte le nom de "bras de Vénus" et de "bras de gitan" au pays catalan.

Le fenouil très apprécié en Italie et dans le Sud de la France pour sa saveur anisée, accompagne admirablement tous les plats de poisson. Par ailleurs, ce légume-feuille se consomme aussi bien cru que cuit.

Dans cette recette, le choix des fenouils est très important. Ce produit éminemment méridional, apportera toute sa quintessence à ce dessert. Il le parfumera d'autant mieux s'il est de qualité. Choisissez un bulbe bien blanc et très renflé. Préférez les jeunes fenouils dotés d'une tige très verte et fringante. Vous réserverez les pluches pour la décoration.

Selon Jean Plouzennec, le fenouil confit en brunoise peut aussi agrémenter la crème du gâteau roulé. Si vous décidez de suivre cette suggestion, veillez à bien égoutter le fenouil pour avoir un joli rendu. En effet, le sirop qui l'enrobe ne doit pas laisser de traînées dans la Chantilly.

Autre vedette du pays catalan, l'aubergine a l'originalité d'être présentée en dessert. Familière des recettes catalanes, elle est originaire de l'Inde, et fut introduite dans le sud de la France à partir du XVIIe siècle. Utilisées jeunes, elles comportent moins de graines, sont moins farineuses et plus savoureuses.

Notre chef vous suggère une variante, en accompagnant les aubergines de confiture de tomates vertes. Les fruits déguisés qui agrémentent le gâteau doivent être soigneusement choisis, et d'une tenue irréprochable pour pouvoir être trempés dans le caramel. En effet, certains fruits pourraient se déliter à son contact.

Pour le biscuit : préchauffez le four à 180°C. Posez une feuille de papier sulfurisé beurrée sur la plaque. Montez 2 œufs entiers et 2 jaunes en sabayon avec le sucre. Versez la farine, mélangez. Étalez la pâte. Enfournez, 10 à 12 min. À la sortie du four, humidifiez un torchon et enroulez le biscuit tiède.

Pour le fenouil confit : portez à ébullition 50 cl d'eau avec le sucre et le glucose. Ajoutez le fenouil en brunoise et faites confire. Pour la crème : centrifugez ou hachez les fenouils. Ajoutez le jus obtenu au lait et faites bouillir. Fouettez les 3 jaunes d'œufs et le sucre.

Versez le lait de fenouil dans les œufs. Recuisez 2 min. Filtrez et ajoutez la gélatine. Fouettez la crème fraîche en Chantilly. Refroidissez la crème de fenouil jusqu'à ce qu'elle s'épaississe. Ajoutez la Chantilly. Déroulez le biscuit et masquez-le avec cette crème.

ubergine confite

JEAN
PLOUZENNEC

Cuisson : 35 min

À l'aide du torchon, roulez régulièrement le biscuit pour lui donner sa forme définitive. Laissez-le au réfrigérateur jusqu'à son service. Dressez au final le fenouil confit.

Pour le coulis au miel : portez ce dernier à ébullition avec 2 brindilles de romarin et le muscat. Retirez le romarin. Ajoutez le beurre en dés. Mélangez. Le coulis doit être onctueux. Pelez l'aubergine en laissant apparaître des bandes de peau.

Découpez des tranches d'aubergine. Saupoudrez-les avec 2 c. à s. de sucre sur les 2 faces. Poêlez-les au beurre pour les dorer. Faites le caramel des fruits déguisés, dégagez des quartiers d'agrumes et caramélisez-les. Servez-les avec le roulé au fenouil.

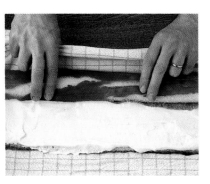

Sorbet au fenouil

4 personnes	★	Préparation : 1 h 30

Sirop :
240 g de sucre
25 g de glucose
125 g de graines de fenouil
1 cuillère à café de miel

Tuiles :
25 g de beurre
25 g de sucre semoule
25 g de sucre cassonade
25 g de farine
10 cl de jus d'orange
10 g de graines de fenouil

Sauce safran :
3 œufs
50 g de sucre
25 cl de lait
2 g de safran

Décoration :
Pistils de safran
Pluches de fenouil

Le sorbet au fenouil, sauce safranée est une création de Christian Étienne. Un matin, le chef laisse parler son imagination et décide d'accommoder le fenouil en sorbet. Fort de son idée, il cherche une sauce digne d'accompagner ce mets. Ses papilles de fin gastronome lui inspirent alors la réponse : une crème anglaise au safran. Le dessert était né. Surprenant au goût, il ne laisse pas indifférent.

Le fenouil, généralement utilisé dans la préparation des poissons, est une plante aromatique, de la famille des ombellifères. Son bulbe est formé par la base large et charnue des feuilles qui s'imbriquent les unes dans les autres. Consommé en légume, il doit être bien blanc, ferme, arrondi, sans taches.

Pour le concassage des graines, utilisez un rouleau à pâtisserie. Présentes sur les tuiles, vous pouvez les remplacer par des noisettes ou des amandes hachées. Le chef vous suggère pour gagner du temps de préparer le sirop la veille. Si vous souhaitez accentuer le goût légèrement anisé du fenouil, n'oubliez pas d'ajouter un jus

de citron avant de turbiner. Si la saveur légèrement amère du safran vous réfrène, le chef propose de confectionner une sauce vanillée.

Pour faciliter le travail lors de la réalisation des tuiles, le beurre doit être à température ambiante, d'où son expression de "beurre pommade". À défaut d'une feuille de cuisson, vous pouvez utiliser la plaque après l'avoir beurrée et farinée.

Ces petits-fours secs acquièrent leur forme caractéristique en séchant encore tièdes sur un rouleau à pâtisserie. Attention, la pâte ressemble à de la dentelle. Très fragile, elle se brise facilement.

Dans l'assiette nappée de sauce safranée, notre chef préfère pour sa part déposer des tuiles sur les quenelles de sorbet au fenouil.

Les gourmets qui ont le bonheur de découvrir ce dessert atypique, remercient la muse de Christian Étienne de l'avoir ce matin-là si bien inspiré…

Préparez le sirop avec 25 cl d'eau, le glucose, le miel. Ajoutez le sucre et portez à ébullition.

Ajoutez les graines de fenouil et 25 cl d'eau. Laissez infuser 1 h.

Confectionnez la sauce safran. Faites bouillir le lait. Blanchissez les jaunes d'œufs avec le sucre et versez le lait. Mélangez. Remettez le mélange sur le feu, en remuant doucement afin de cuire les jaunes dans le lait. Arrêtez à ébullition. Hors du feu, ajoutez le safran et remuez bien avec le fouet.

auce safranée

CHRISTIAN
ÉTIENNE

Cuisson : 25 min	Repos de la pâte à tuiles : 1 h	Infusion du sirop : 1 h

Passez le sirop au chinois. Rectifiez le goût et turbinez le sorbet. Préparez les quenelles et placez-les au congélateur.

Préparez les tuiles en mélangeant dans un récipient, le beurre pommade et le sucre semoule. Ajoutez le sucre cassonade. Continuez à remuer, versez la farine et le jus d'orange. Avec la spatule, mélangez énergiquement jusqu'à l'obtention d'une pâte homogène. Laissez reposer 1 h.

Dressez la pâte avec une cuillère sur une feuille de cuisson. Ajoutez le fenouil concassé et mettez au four, à 180°C, environ 5 min. Décollez les tuiles. Versez la crème dans l'assiette, décorez avec les pistils de safran, placez 3 quenelles de sorbet et des pluches de fenouil.

Tarte aux figue

4 personnes ★ **Préparation : 30 min**

10 figues fraîches
40 g de cassonade

Pâte sablée :
250 g de farine type 55
125 g de beurre
125 g de sucre glace
1 pincée de sel
1 œuf
1 zeste d'orange
1 zeste de citron
5 g de levure chimique

Crème d'amandes :
120 g de beurre ramolli
120 g de sucre glace
120 g de poudre d'amandes
40 g de farine
2 œufs
2 gouttes d'extrait d'amandes amères

La tarte aux figues fraîches présentée par Georges Rousset apparaît comme un petit joyau de la pâtisserie. Le fruit y est roi. Sa sophistication réside dans sa simplicité. Cette tarte sans artifice est une recette traditionnelle du Languedoc. Royale, la figue trône fièrement sur son coussin de crème d'amandes, enserré dans un carré de pâte sablée.

Star de la Méditerranée, la figue a toujours fait parler d'elle. Depuis la nuit des temps, les civilisations du bassin méditerranéen la vénèrent comme un symbole de fécondité. La meilleure saison va de la mi-juin à la mi-juillet, puis reprend en août jusqu'au début du mois de novembre. Sachez que la maturité de la figue est indépendante de sa couleur. Seule sa tendreté au toucher peut vous indiquer qu'elle est mûre pour la dégustation. C'est un fruit très fragile, qui ne se garde que quelques jours dans le bac à légumes du réfrigérateur.

Fréquemment employés en cuisine ou en pâtisserie, les zestes d'agrumes sont faciles à découper dans la hauteur des fruits, et sèchent à l'air libre. Préférez toujours des citrons et oranges non traités. Veillez également à bien doser l'extrait d'amandes amères, car il pourrait gâter la saveur de la crème. Ce produit à la saveur puissante, est élaboré à partir des amandes prélevées à l'intérieur des noyaux d'abricots.

L'amande apprécie les climats secs et chauds. Le pourtour méditerranéen semble tout indiqué pour la culture des amandiers. Dans ces pays, ce fruit évoque la richesse, la connaissance et la fécondité. La poudre d'amandes entre très souvent dans la composition des pâtisseries. Accompagnée de miel dans les pays du Maghreb, ou de poires en France, lorsqu'il s'agit de tarte Bourdaloue ou de galette des rois, ce fruit sec fait toujours l'unanimité chez les gourmands.

Disposez farine tamisée, sucre glace et levure en fontaine. Coupez le beurre en petits morceaux. Incorporez-le en l'écrasant rapidement dans le mélange. Sablez le tout. Ajoutez œuf, sel, zestes d'agrumes hachés, mélangez. Faites une boule, laissez reposer 2 h.

Pour réaliser la crème d'amandes, travaillez au batteur le beurre avec le sucre, la poudre d'amandes, la farine et les œufs. Parfumez avec 2 gouttes d'extrait d'amandes amères.

Avec votre rouleau, étalez la pâte sur un marbre fariné. Détaillez-la en carrés de 10 à 12 cm de côté, à l'aide d'une roulette à pâtisserie. Piquez-les régulièrement à la fourchette. Préchauffez votre four à 160°C.

GEORGES ROUSSET

Cuisson : 15 min

Repos de la pâte : 2 h

Pour former un rebord de 1 cm tout autour des carrés de pâte, pincez joliment les bordures entre vos doigts.

Étalez une couche de crème d'amandes sur tous les carrés de pâte festonnés. Enfournez-les 5 min. Laissez un peu refroidir. Coupez les figues en lamelles, dans le sens de la hauteur.

Garnissez les fonds de tartes avec des lamelles de figues. Enfournez-les de nouveau pendant 5 min. Sortez-les du four. Saupoudrez chaque tartelette d'1 c. à s. de cassonade. Passez-les 3 à 5 min sous le gril du four.

Tarte aux pignon

4 personnes   ★   **Préparation : 25 min**

100 g de sucre
100 g de beurre
400 g de pignons de pin
50 cl de crème fraîche épaisse
60 g de miel de lavande

Pâte sucrée :
125 g de beurre
125 g de sucre semoule
250 g de farine
1 œuf
1 pincée de sel

En Provence, le jour de la tarte aux pignons et au miel de lavande n'est pas un jour comme les autres... C'est un peu celui des enfants. Après l'école, ils savourent souvent cette pâtisserie au moment du goûter. Ce dessert typique du sud de la France peut aussi être servi après un repas léger.

Le pignon riche en lipides et en glucides est très énergétique. Son goût résineux et corsé rappelle celui de l'amande par laquelle il peut être remplacé. Extrait de la pigne du pin parasol, arbre de la famille des abiétacées poussant dans les régions méditerranéennes, le pignon est une petite graine oblongue. Entouré d'une coque dure, il se loge entre les écailles du cône.

Notre chef Christian Étienne vous livre une astuce pour que la pâte sucrée soit parfaitement cuite. Placez-la au four à blanc pendant dix minutes, en la recouvrant d'une feuille de papier sulfurisé. Posez dessus soit des lentilles, des haricots blancs ou des petits cailloux.

Ainsi, la pâte ne montera pas pendant la cuisson. Garnissez-la ensuite avec les pignons caramélisés et replacez-la au four cinq minutes.

Dans l'Antiquité, le miel était l'apanage des dieux. À la fois aliment et offrande, il symbolisait la richesse et la félicité. Présent dans la tarte aux pignons, il apporte à ce dessert sa saveur si particulière. Cette substance, fabriquée par les abeilles à partir du nectar des fleurs, est entreposée dans les rayons de la ruche. Son pouvoir énergétique est supérieur à celui du sucre. Le miel de lavande provient de Provence où cette fleur mauve colore et parfume le paysage. Selon votre goût, vous pouvez opter pour le miel de votre choix.

Cette recette facile à réaliser se déguste généralement avec une tasse de thé ou un bol de chocolat.

Pour la pâte, mélangez à la main le beurre en morceaux et le sucre. Disposez la farine salée en fontaine. Versez l'œuf au centre, puis le beurre sucré. Mélangez du bout des doigts. Pétrissez, formez une boule, roulez-la dans la farine et laissez reposer 1 h.

Beurrez le cercle. Étalez la pâte avec un rouleau à pâtisserie. Foncez le cercle avec l'abaisse et posez-le sur une plaque allant au four.

Dans une casserole en cuivre, faites fondre le beurre, ajoutez le sucre et le miel pour obtenir un caramel blond.

u miel de lavande

CHRISTIAN
ÉTIENNE

Cuisson : 20 min

Repos de la pâte : 1 h

Ajoutez les pignons. Remuez bien sur le feu jusqu'à coloration.

Déglacez avec la crème en remuant énergiquement avec la spatule.

Versez le mélange dans le fond de tarte. Mettez au four, à 180°C, pendant 15 min. Démoulez tiède.

4 personnes ★★ Préparation : 45 min

2 melons de Provence
3 cuillères à soupe de grenadine
10 cl de muscat
15 g de sucre glace
10 g de beurre

Pâte sablée :
250 g de farine
50 g de poudre d'amandes
750 g de sucre semoule
190 g de beurre
3 œufs

3 cuillères à café
de rhum
1 citron
1 pincée de sel

**Crème pâtissière
au muscat :**
6 œufs
125 g de sucre
50 g de farine
20 g de fécule de maïs
50 cl de lait entier
1 gousse de vanille
2 feuilles de gélatine

12 cl de crème fraîche
liquide
5 cl de muscat

Sirop :
150 g de sucre

Décoration :
Feuilles de menthe

Cette recette fraîcheur convient parfaitement aux repas d'été, puisque le melon qui agrémente la tarte fine est un fruit de la belle saison. Pour la petite histoire, le nom de cette tarte rend hommage à Bel Air, quartier agricole de Salon-de-Provence.

Pour reconnaître un bon melon, soupesez-le. Il doit être lourd au toucher, mais souple sous la pression du pouce à l'endroit de la "pastille". Sa queue doit se détacher facilement. S'il sent bon, c'est encore mieux ! Cependant, une trop forte odeur peut signifier une trop grande maturité. Ronde ou ovale, chaque variété a sa propre saveur. La robe sera vert clair, rayée de vert foncé, jaune vif, ou vert-ocre avec une peau lisse ou craquelée.

Le melon se conserve tout au plus cinq à six jours dans un endroit frais et aéré. Évitez de le mettre au réfrigérateur, car son arôme puissant contaminerait tous les autres aliments. Sachez qu'il peut continuer à mûrir à température ambiante.

Nous vous recommandons d'utiliser un melon du type charentais lisse. Sa chair orangée sucrée, est à la fois juteuse et ferme. Pour confectionner des boules de forme régulière, munissez-vous d'une cuillère parisienne n° 12. Enfin si vous manquez de temps, vous pouvez utiliser un sirop de canne au lieu de préparer un sirop pour la cuisson des boules.

Lorsque vous pétrirez la pâte sablée, ne la travaillez pas trop, car elle pourrait durcir. Il est préférable de la laisser ensuite reposer, roulée en forme de boudin. Le diamètre de celui-ci devra être égal à celui de votre rouleau à pâtisserie. Ainsi, vous pourrez abaisser plus facilement des disques. Pour faciliter la préparation, vous pouvez aussi vous procurer une pâte sablée toute prête, proposée dans le commerce. Il vous en faudra alors 400 g environ.

La touche finale de notre savoureux dessert, sera apportée par les feuilles de menthe fraîches qui surmonteront les tartes fines.

Pour la pâte sablée, mélangez poudre d'amandes, farine, sucre, le zeste d'1/2 citron et 1 pincée de sel. Ajoutez le beurre mou en dés, 2 jaunes d'œufs, 1 œuf entier et 3 c. à c. de rhum. Mélangez. Travaillez la pâte. Formez un boudin et laissez reposer 1 h.

Découpez des rondelles de 3 cm d'épaisseur dans la largeur du boudin de pâte sablée. Abaissez-les en disques de 8 cm. Enfournez-les à 200°C pendant 10 min. Laissez ramollir les feuilles de gélatine dans de l'eau tiède.

Pour la crème pâtissière, faites bouillir le lait avec la vanille. Battez 4 jaunes et 2 œufs entiers avec le sucre, la fécule et versez la farine en pluie. Versez la moitié du lait sur le mélange. Reversez dans l'autre moitié du lait et cuisez pendant 5 min, en remuant.

FRANCIS
ROBIN

Cuisson : 20 min

Repos de la pâte : 1 h

Hors du feu, ajoutez la gélatine essorée dans la crème pâtissière. Arrosez avec 5 cl de muscat. Laissez refroidir. Montez la crème fraîche liquide en Chantilly. Ajoutez-la délicatement à la crème pâtissière. Réservez.

Mélangez dans un poêlon, 25 cl d'eau et 150 g de sucre. Cuisez 2 à 3 min jusqu'à l'obtention d'un sirop, sans coloration. Réservez-le. Dégagez 32 boules dans les melons. Mixez le reste des melons avec la grenadine et 3 cl de sirop de sucre, pour obtenir un coulis.

Poêlez les boules de melon dans 10 g de beurre. Ajoutez 7 c. à s. de sirop et 10 cl de muscat. Égouttez-les. Garnissez les disques avec la crème au muscat et les boules. Recouvrez avec les disques restants. Saupoudrez de sucre glace tamisé. Décorez de coulis et de menthe.

ALAIN
CARRO

Tarte tatin à la rhubarbe

4 personnes ★ Préparation : 1 h

Tarte :
1 pâte feuilletée pur beurre
1 kg de rhubarbe
500 g de fraises
100 g de beurre
4 cuillères à soupe de sucre roux
4 cuillères à soupe de sucre semoule

Chantilly :
50 cl de crème fleurette
4 épis de lavande

Vin à la cannelle :
50 cl de vin rouge
1 bâton de cannelle
100 g de sucre semoule
1 citron

1 bouquet de menthe fraîche (facultatif)

Cette recette est d'une extrême facilité. Pour la petite histoire, ce sont les sœurs Tatin qui élaborèrent au XIXe siècle, cette fameuse recette qui porte leur nom. Elles tenaient un hôtel restaurant à Lamotte-Beuvron, dans le département français du Loir-et-Cher. La rumeur racontait aussi que ces sœurs se seraient trompées dans la cuisson de la tarte. Cette délicieuse spécialité serait née d'une bêtise !

La recette originale de la Tatin se composait de pommes cuites au beurre et au caramel. Depuis on retrouve souvent l'appellation dans les tartes qui sont caramelisées. Par ailleurs, notre chef Alain Carro, vous suggère aussi d'essayer la variante avec des mangues, c'est un peu plus exotique et très étonnant. En revanche, vous n'agrémenterez pas cette recette de vin à la cannelle, mais vous conserverez les quenelles de Chantilly non sucrée.

Si vous disposez de temps, vous pouvez préparer la pâte feuilletée, mais cela est assez fastidieux.

Il vous faudra pour l'élaborer : 1 kg de farine ; 1/2 l d'eau ; 30 g de sel fin ; 850 g de beurre. Vous devrez travailler la pâte, dit aussi "détrempe", en lui incorporant du beurre par la technique du "tourage". C'est-à-dire en la pliant sur elle-même. Il faut l'aplatir au rouleau jusqu'à huit fois, en laissant reposer une heure entre chaque opération. Plus on fait de tours, plus les feuilletés sont gonflés et plus la pâte est légère.

Saviez-vous que le vin à la cannelle était autrefois réputé contre le rhume ? Dans tous les cas n'en abusez pas. Bien que l'alcool du vin soit évaporé pendant la vingtaine de minutes de réduction. Veillez à laisser infuser les bâtons de cannelle. Surtout laissez-le bien refroidir, sans quoi les quenelles de Chantilly risqueraient de fondre très rapidement.

Faites réduire le vin rouge avec 1 jus de citron, de la cannelle et le sucre semoule pendant 20 min, à feu très doux. Laissez tièdir et bien infuser le vin pour le dressage final.

Épluchez la rhubarbe, enlevez-bien les fils. Débitez la rhubarbe en tronçons de 5 cm de longueur.

Poêlez la rhubarbe avec 90 g de beurre et le sucre semoule. Cuisez jusqu'à leur coloration pendant 8 min. Cela doit caraméliser. Piquez les bâtonnets au couteau pour constater leur tendreté. Égouttez-les et réservez-les.

ALAIN
CARRO

Cuisson : 1 h

Sortez au dernier moment la pâte feuilletée. Réalisez des disques de feuilletage de 12 cm de diamètre dans la pâte, à l'aide des moules à tartelettes. Parallèlement, préchauffez le four pendant 10 minutes à 200°C.

Beurrez les moules à tartelettes, saupoudrez 1 c. à s. de sucre semoule au fond des moules. Garnissez-les avec deux couches de bâtonnets de rhubarbe. Posez les disques de feuilletage sur la rhubarbe. Enfournez pendant 20 min. Parallèlement, fouettez la crème fleurette en Chantilly.

Coupez les fraises. Versez le vin tiède dessus. Démoulez les tatins. Caramélisez le dessus avec 1 c. à s. de sucre roux sous le gril du four 1 min. Formez des quenelles de Chantilly et dressez les fraises autour des tartelettes. Parsemez de grains de lavande les quenelles.

LES ACTEURS

Laurent Broussier

Alain Carro

Christian Etienne

Daniel Ettlinger

Joël Garrault

Jean-Michel Minguella

LES ACTEURS

Jean Plouzennec   **Francis Robin**   **Georges Rousset**

Jean-Claude Vila   **Angel Yagues**

DÉLICES DU SUD
DE LA FRANCE

Réalisation / Production
Fabien Bellahsen
Daniel Rouche

Photographe / Direction technique
Didier Bizos

Assistante photo
Gersende Petit-Jouvet

Rédaction
Elodie Bonnet
Nathalie Talhouas

Assistante de rédaction
Fabienne Ripon

Conseiller culinaire
Jean Bordier
(meilleur ouvrier de France)